憔悴三年

小說

亦舒

憔悴三年·亦　舒

出版：天地圖書有限公司
香港皇后大道東109～115號智群商業中心十三字樓
電話：2528 3671　圖文傳真：2865 2609
香港灣仔莊士敦道三十號地庫（門市部）
電話：2528 3605　2865 0708　圖文傳真：2861 1541

承印：亨泰印刷有限公司
香港柴灣利眾街27號德景工業大廈十字樓
電話：2896 3687　圖文傳真：2558 1902

發行：利通圖書有限公司（港澳）
九龍紅磡民裕街41號凱旋工商中心8樓C
電話：2303 1010（13線）　圖文傳真：2764 1310

一九九六年·香港

目錄

憔悴三年

劉玉容覺得她已走到絕境。

她帶着一個兩歲孩子，丈夫離開了她，娘家環境欠佳，也不容她回去。

一份苦悶的工作，菲薄的收入，除出付開門七件事之外，還需給褓姆費用，所剩無幾，不要說是節蓄，簡直連買一件登樣點衣服的能力也沒有。

一隻黑手袋的四角用得發白了還拎在手裏，頭面從不光鮮，髮式保守，因缺少打扮，她看上去比她的眞實年紀大。

這是一個很現實的世界，女同事們的薪水只用來粧身，自然時髦漂亮，閒時請客送禮，朋友也多，三兩聯羣，只得玉容孑然一人。

她們不討厭她，可是也不特別喜歡她，沒有故意排斥她，也不同她做朋友。

冷淡一如她的家人。

玉容的母親說：「你若如弟弟般考得到獎學金呢，任你到何處讀書去，誰也不會阻止你，不然的話，教書一向是女子最佳職業。」

玉容沒聽母親忠告。

她到政府做一份文職，認識了吳克光，渴望與憧憬溫暖家庭的她決定結婚。

可是這一段婚姻，像其他不幸的婚姻一樣，只維持了三年。

年輕的她需即時決定，可把孩子帶在身邊，放棄她，將來如果活下來了，必定後悔，與她在一起，彼此都是個負累。

而且無論抉擇如何，即使到了下一世紀，世人樂意指摘的，還是女方。

因是個女孩子，玉容只得把她帶在身邊。

開始的時候，她也有約會，像伍永康，很願意在下班時送她一程，順路。

不到一個月，當她收工去找他的時候，他完全改變態度：「對不起，今日我約了永齡去打羽毛球。」

玉容立刻聞弦歌而知雅意，知難而退。

回到家，爲這件事羞澀許久。

這是什麼年代了，女子已婚、離婚，帶着孩子，其實都不是問題，要是她是名媛，家裏富有，或者嫁的是煊赫人家，贍養費盈億，過去歷史決不會拖累她，社會對她不知多開明。

可是小心，要是閣下有可能成爲他人負累，則完全是另外一個故事。

一日，在茶水間無意碰到伍永康。

玉容倒頗大方，朝他點點頭。

他卻不好意思起來，問候道：「好嗎。」

「托賴，還可以。」

「聽說你快要調職。」

「是，轉到總部去。」

「那邊節奏比較快，陞的機會也好。」

玉容不置可否。

這時，伍永康忽然冒出一句話：「孩子好嗎？」

玉容也一怔，她從不與同事說她的孩子。

伍永康怪同情地說：「單身母親，一定很辛苦。」

玉容答：「是我能力稍遜。」

他忽然說這些話，是什麼意思？

伍永康繼續：「我很喜歡孩子，可是。」他搔搔頭皮，「還不打算在這個時候與他們打交道。」

玉容明白了，他算是婉轉地解釋了爲何忽然避而不見的原委。

玉容轉身離去。

幸虧不久便轉職了。

不不，不是孩子的原故，而是他怕他要負起照顧別人孩子的責任。

玉容轉到總部後，整個人沉默下來。

日出而作，日落而息，最使她頹喪的是，她看不到將來情況會有進步的希望。

她害怕這樣孤苦辛勞到老，永不出頭，故半夜醒來，時常飲泣。

日間精神萎靡。

沮喪的她覺得世上一切美好事物與她無關，早上起來，把孩子送到褓姆處，便按部

就班到公司做妥份內工作，下班拖着疲倦身軀把孩子接返，日日月月年年都如此苦悶。

褓姆見她臉色灰敗，便勸道：「劉姑娘你須注意飲食。」

玉容並無回答。

「孩子鞋襪都不再合穿，要買新的了。」

「是。」

關上門，褓姆歎口氣同丈夫說：「看她也眞辛苦。」

「娘家有人幫忙就好得多。」

「從沒見過孩子父親。」

「彷彿這不是男方責任似的。」

玉容自然沒聽到這番話。

走到公園附近，孩子表示想玩一會兒。

玉容坐在長櫈上，看孩子在沙池玩耍。

她佝僂着背，蜷縮着肩膀，一派落漠。

呵那麼年輕已經衰老，相由心生。

就在這個時候，玉容發覺有人輕輕坐到她身邊。

她抬頭一看，見是個陌生女子，廿七八歲年紀，大熱天，穿黑色套裝，卻態度從容，笑臉迎人。

她渾身打扮考究到極點，一副珍珠耳環發出晶潤的光芒，襯得她膚色更爲明亮。

這是誰？

身份矜貴的她如何會坐到公衆兒童遊樂場來？

她朝玉容點頭。

玉容不便逼視，低頭不語。

那黑衣女子忽然輕輕說：「我知道你在想什麼？」

玉容一怔。

女子說下去：「那是不應該的，你與她們不同，至少，你有一份穩定可靠的工作。」

玉容動容，她怎麼會知道她心中想些什麼？

玉容的手一鬆，報紙掉在地下。

當天的標題是：少婦攜女跳樓，母女當場命殞。
那女子看了看報紙，「即使只是想，也不應該。」
玉容本想站起來帶女兒即刻離開公園，可是她許久沒有傾訴過心事，不禁與陌生人攀談起來。
她低聲說：「一了百了，也好。」
女子卻說：「不，做人總有責任。」
「我自己的生命，自己作主。」
「也不可這樣說，親友對你，均有期望。」
「有誰會來關心我們母女。」
「生活得好，是人的本能。」
劉玉容眞未想到她會同一個陌生人說那麼多，可是該位女士笑容如此可親，語氣十分熟絡，使孤苦徬徨的她樂意多講幾句。
玉容落下淚來。
女子遞一方手帕給她。

她印乾眼淚。

「看，孩子多活潑可愛。」

「是，」玉容承認，「褓姆對她極好。」

「那也算是運氣。」

短短三言兩語，玉容已覺安慰。

玉容願意知道她的身份，「請問尊姓大名？」

她詫異地反問：「你不知道我是誰？」

玉容怔怔地看着她，「你是哪一位？」

女子笑笑，「這一陣子，你不是一直對我念念不忘嗎。」

玉容睜大雙目，渾身寒毛豎起來，「你——」

這時，玉容聽見女兒叫她：「媽媽，媽媽」

那幼兒蹿了一跤，痛了呼她。

玉容本能地跑過去把孩子抱在懷內，再抬頭，已不再見那陌生女子。

她猶自發愣。

莫非一切都是幻覺？

她不敢多想，抱起女兒，怱怱回家。

半夜醒來，還是哭了。

是，最近常常想到一了百了，自此之後，什麼都不必理會，日出日落，與她與關，再也看不到白眼，聽不見冷言冷語。

生命根本短暫，遲去，充其量八九十歲，這樣吃苦，不如早點走。

說來說去，不捨得留下孩子獨自在世上，故又有念頭，不如把她也帶走。

眞是可怕而絕望的想法。

玉容渾身戰慄。

孩子熟睡，好像一隻洋娃娃。

她輕輕握住小手。

魅由心生，那陌生女子是誰，她已有數。

天亮了。

玉容如常把孩子送到託兒所才去上班。

一到辦公室，便發生一件叫玉容更爲沮喪的事：一位同事辦事不妥當，竟把責任推到玉容身上，且對上頭說了許多是非。

本來，不過是茶杯裏風波，玉容與同事的職位不高，很難做出什麼彌天大錯，只是無辜成爲代罪羔羊，有詞莫辯，玉容氣得渾身發抖，更覺人心險惡。

平日她人緣又不好，到了這種時候，十分吃虧。

被上司教訓一頓之後，她回到自己座位上，還得強自振作，把那天的工作趕出來。她面孔滾熨，眼淚冰冷，心灰意冷。

爲了菲薄的二分四，坐在此地動彈不得，笑罵由人，整個月薪水還不夠名媛買一隻名牌手袋。

人生到底是怎麼一回事。

電話響了。

是褓姆打來，「劉姑娘，囡囡發燒到一〇三度，你來領她去看醫生可好？」

「拜託你好不好？我在上班走不開。」

「我不負責跑醫務所，這你是知道的，況且，囡囡一直叫媽媽。」

玉容心如刀割，立刻說：「我馬上來。」

她跑出去告半天假，聽見旁邊有人說：「是，鬧情緒，不罷工示威，還待何時。」

玉容忍聲吞氣，叫計程車趕回去。

只見囡囡整個小小身體已經輭倒，面孔通紅，她忽忽把她帶到醫務所。

輪診當兒，猛地抬起頭，在鏡中看到自己，嚇了一大跳，這是誰？臉容枯槁，雙目無神，嘴巴緊緊合着向下墜，苦紋深深。

啊，這是才廿多歲的劉玉容嗎？

她低下頭，眼淚不禁汨汨而下。

看護出來看到，同她說：「孩子左右不過中耳發炎之類，無礙，不用害怕。」

抱着孩子回家，玉容筋疲力盡，與囡囡一起入睡。

這一覺，倘若不用醒來，倒也是好事。

那念頭似抽絲一般又鑽進她的腦袋。

與其一輩子這樣黑暗腌臢地過日子，不如爽爽快快早點尋出路。

她倦極入睡。

有人想推醒她，玉容討厭，「讓我睡一會，我累壞了，睡醒了才陪你玩，怎麼樣都可以。」

她累得眼睛都睜不開來。

「是我，你不是想見我嗎？」

玉容一震，是，她在心中呼召過她。

她自牀上一骨碌起來。衝口而出：「把我們母女一起帶走吧。」

「受一點委屈，就願意放棄生命？」

那位秀麗的黑衣女子笑吟吟地看着她。

「我看不到前途。」

「生命轉轉折折柳暗花明，你怎麼知道將來如何？」

玉容飲泣。

「把孩子給我。」

玉容愕住。

「把她給我抱抱。」

玉容不禁說：「不！」

那女子笑，「你已知我是誰。」

玉容頷首。

她把女子借她的手帕取出，那方雪白的麻紗手絹角綉着一個M字。

玉容說：「開頭我想，怎麼會是M不是D呢，原來，你的名字在拉丁文正應M字爲首。」

那女子說：「是。」

玉容問：「你跟着我有多久了？」

「不，不是我跟着你，相反地，是你不住念着我，我才現身。」

「我的時辰到了嗎？」

「你說呢？」女子笑吟吟。

玉容低下頭，「我累了，已不能照顧我的孩子，我不怕你。」

「你眞的已經準備好了。」

玉容麻木地說：「是。」

「孩子，不打算交人領養？」
「我怕她吃苦。」
「你不給她機會？也許，長大了，她會是一名出色的藝術家或是科學家。」
玉容從來沒想過這一點，呆呆地抬起頭來。
「你不覺得可惜？」
玉容問女子：「你為何口口聲聲勸我活下去？」
「我不急於收錄任何人。」
「真沒想到你是那麼善心。」
女子也感喟，「是呀，幾乎所有畫家都把我們畫成骷髏模樣，真可怕，太不公平了。」
「我沒想到你會以一美貌女子姿態出現。」
她笑着說下去：「還有，我的拍檔更受委屈。」
玉容好奇，「你拍檔是誰？」
「時間大神呀，人們一直把他當一個白髮白鬚的老公公。」

玉容一怔，「他又以什麼形象出現？」

「她也是一妙齡女子。」

「爲什麼選美貌的形象？」

「否則，人類又怎麼會甘心受時間欺騙？」

這句話如醍醐灌頂，使玉容好好思想起來，人們那樣擅於浪費時間，莫非，眞是受一年輕貌美的時間大神矇蔽？

「天快亮了，你好好補一覺吧。」

「我實在不想再醒來面對現實。」

「明天是星期天，一連三天假期，你趁此機會好好想清楚，我再來找你。」

玉容轉頭去看孩子，發覺高燒已經褪去，睡得很好。她把小手放在臉旁，又忍不住流下淚來。

她走到窗前往下看，家住十一樓，樓下是一個平台，看下去腳都有點軟。

她連忙關上窗，回到牀上去。

再醒來時，天已經亮了。

事。

玉容最喜歡假期，母女雖無節目，無處可去，可是能夠舒服寧靜地相處，也是樂事。

囡囡一覺醒來，精神好轉。

褓姆打電話來問孩子情況，玉容仍然萎靡。

她不是一個能幹的女人，看樣子永無翻身機會。

同誰在一起都會成爲負擔。

致電娘家，想去串門，父親冷淡地說：「今日跑馬，我沒有空招呼你們。」

母親呢？

「她到教會去了。」

是，女兒已經成年，會得結婚生子離婚，就也得會照顧自己，甚至應該調轉頭來幫助父母，如何還奢望在娘家得到什麼。

當然，一些有條件的母親把佣人訓練好了才往女兒家送，女兒的嫁粧包括豪華公寓及歐洲跑車。

劉玉容本身也不是那種能幹母親，希望囡囡他日會得包涵。

孩子醒來，一隻小小的手搭在她肩膀上。

一雙眼清晰晶瑩，緊緊凝視母親，玉容深深感動，把她抱在懷中。

「我們出去玩一天。」

孩子歡呼。

那一日，晴天，有風，公路車上居然有空位，母女乘車到郊外公園，歡歡喜喜，消磨一個上午，再轉車到市區，吃小食，逛玩具店。

小小孩子有點累，又有好心人士在地車內讓位，玉容發覺原來世事也有順境的時候，她的願望與要求都十分卑微。

抱孩子上樓，放牀上睡好，她自己也伸個懶腰，淋個浴，預備午睡片刻。

電話響了，是上司打來。

「李小姐，有什麼事？」

「玉容，昨日那件事，眞相出來了，原來不是你的錯。」

玉容一怔。

「下班時，對方向我一五一十解釋，這件事，也許造成若干陰影。」

「呵，沒有沒有，同事間總有點小誤會。」
「假期後我們再談。」
「謝謝你打來，李小姐。」
「應該的。」
放下電話，玉容覺得前所未有的輕鬆。
正在這時候，有人輕輕問：「你準備好了嗎？」
玉容一驚，猛地轉過頭去。
是她，她又來了。
玉容怔怔地看着那位女士。
半晌反問：「準備什麼？」
她的聲音非常溫柔，「跟我走呀。」
「跟你走？」
「是，」她說：「你多次承認生無可戀，願與女兒一起走上不歸路。」
玉容低頭，「是，我曾經萌過這種念頭。」

「你召我前來與你相見，現在，你可準備好了？」

玉容不知如何回答。

「讓我提醒你，劉玉容，上次有一少婦携子跳樓身亡，她前夫得知消息，只是淡淡地說：『哦，死了嗎』。」

玉容聳然動容。

那位女士深深歎口氣，「你看，白白犧牲生命，甚至無人覺得傷心，不如好好堅強生活下去，不枉來這一場。」

玉容微笑，「你其實不願帶走任何人。」

「你說得對。」

她輕輕坐在牀沿，伸手想去拍小孩。

「不不，別碰我女兒。」

「爲什麼，不是要一起走嗎？」

玉容落下淚來，「我實在走投無路。」

「你永遠不知下一個轉彎有什麼在等你。」

玉容答：「更多的豺狼虎豹。」

女士笑，「你仍保持幽默感，好極了。」

玉容說：「你給我那麼多盼望，你彷彿是希望女神。」

女士忽然略有惱意，「別提她，最喜歡欺騙人的，就是希望。」

玉容接上去：「還有諾言。」

女士說：「講得太對了。」

「所有的諾言，都不知幾時可實現。」

那位女士又問：「你準備好了沒有？」

玉容忽然勇敢地衝口而出：「不，我沒有，我願意繼續在世上掙扎。」

女士放心了，頷首，「好，我就是等這句話。」

「你，你是我的苦海明燈！」

女士訝異，「你這樣說，人家會取笑你。」

「我不怕。」

「放鬆自己，出去多結交朋友，不要太看重得失。」

玉容低下頭，輕輕說：「明白。」

「這孩子對你來說，是一件寶貝，好好撫育她。」

「我知道。」

「將來，你一天會比一天好。」

玉容含淚，「請告訴我更多。」

「前程掌握你自己手中，何用假他人之手。」

「我會永遠懷念感激你。」

女士雙手亂搖，「千萬不要想念我，最好完全忘記我，到你八十八歲之時，我自然會來接你。」

「八十八歲，」玉容嚇一跳，「那麼老？」

女士笑，「相信我，時間過得比你想像中快得多。」

「那，我爲何覺得度日如年？」

「事情會有好轉，相信我。」

就在此際，玉容聽見嘩辣辣一聲，一驚而醒，原來是隔壁人家在搓麻將、牌聲清脆

響亮。

紅日炎炎，一覺醒來，玉容知道她必須咬緊牙關生活下去。

生活根本是長期抗戰，像打仗，不輸已經很好，如果還能贏，那眞正是豐功偉績，應乘勝追擊，一步步進攻。

有夥伴當然好得多，並排上路，但像劉玉容孑然一人那般奮鬥而成績驕人的，也大不乏人。

一定不能放棄。

劉玉容下了決心。

這種堅毅是看得見的，她開始，實事求事地處事，一改往日頹風，不再怕人怕事，不再認爲努力無用，只知道能做多好就多好。

上司當然第一個發覺，予以嘉許。

玉容學歷有限，擔任文職，再陞也陞不到什麼地方去，從前因此深覺氣餒，今日卻不再小窺局限自己。

半年後，陞職名單公佈，劉玉容陞了一級。

她露出罕有的笑容。

孩子已送進幼兒班，進展良好。

一日，收到孩子父親來電，玉容正在與同事開會，匆忙間聽得他想探訪孩子，她大方地答允。

事後有點後悔，但一切爲着孩子着想，不願見那人，也得見那人。

在約定的地方，他來了，環境顯然比她好，有私人汽車用，身穿西裝，跟從前的樣子沒有多大變化。

玉容知道自己已經憔悴許多。

她不禁在心中默默地念：玉容憔悴三年，誰復商量管弦。

他過來打招呼，玉容讓孩子上前，孩子沒有笑容，她已經不認得他。

他茫然失措。

看，世上凡事均需付出才有得到，這世界還是公平的。

他輕輕說：「我願意負擔孩子生活。」

他交一張支票給玉容，補交了過去一年開銷。

玉容吁出一口氣，到今日才有表示，遲總比永不好，這不是講意氣的時候，玉容當然不會擲還支票。

他走了。

玉容領着孩子回家。

她推開窗，往下看，也許，只有勇者才會默默地過最平凡的生活，不問收穫。

她沒有再想念那位女士，她怕女士會再侵入她的心房。

她打算在八十八歲那年才見她。

異能

據說周樂珠自小有這個本事：帶她去抽獎，只要叫她看一看獎券，她便知道頭獎在哪裏。

小小的她只有四五歲大，不甚會說話，可是她凝視半晌，便會用手指一指，通常不落空。

叔伯們開始把馬經版攤開在她面前，問：「樂珠，哪個名字會贏？」

周先生頭一個板起面孔：「你們若不罷手，別怪我不客氣。」

「阿周，你這人也太無幽默感了。」

「至多給樂珠分紅，好不好。」

周太太笑着把豬朋狗友通通掃出去。

可是收到包裹，尚未拆開，周太太自己也會問樂珠：「裏邊是什麼？」

樂珠仔細看一看，「是一疊漫畫書。」
「怎麼會有這種東西？」
「是殷叔叔托爸爸到日本代爲訂閱的。」
「嘩，」周先生大爲拜服，「樂珠，有雙千里眼。」
周太太噓一聲，「千萬別聲張出去。」
「眞是，別讓傳媒做新聞。」
一個那麼小的孩子，吸引到大量注意力，以致不能正常生活，那眞是不幸。
漸漸樂珠這種本事更叫人進一步詫異。
一次，周太太的老同學端木女士前來探訪，喚樂珠：「過來吃糖。」
樂珠過去，忽然注視端木女士的胃部。
周太太問女兒：「樂珠，怎麼了？」
樂珠輕輕答：「一團黑氣。」
端木女士大笑，「連小孩都看到我胸腔裏原來眞是草包。」
周太太只是陪笑。

一個星期後端木覺得胃部不適，去看醫生，斷症是胃癌。

周太太好奇地問樂珠：「你看出去的情況究竟如何？」

「有點像X光。」

「這麼說來，你看人與物，都是半透明？」

「不，不用神時，一切如常。」

周氏夫婦嘖嘖稱奇。

「這種本事遺傳自什麼人？」

周太太笑，「我祖上三代都是普通人，若有這種本事，早已發財。」

「我也從沒聽說過我家有這種異能。」

周太太說：「也許，同我們一樣，即使察覺，也不願聲張。」

「可能。」

鄧太太的女兒與女婿來作客，樂珠出來招呼，一見鄧小姐，退後一步，笑嘻嘻。

她用手一指，「孿生兒。」

鄧太太一怔，隨即笑問：「是男是女？」

樂珠略為用神，「一男一女。」

鄧太太樂極了，「樂珠，承你貴言，阿姨給你一個紅封包。」

樂珠那時已有七八歲，周太太連忙解圍說：「小孩信口雌黃，你莫理她。」

「不，我們昨天才去看過醫生，證實是孿生，不過，要待兩個月後才能分辨男女。」

鄧家衆人走後，周太太把女兒叫到跟前。

「樂珠，以後呢，看到什麼，也不必當衆揭穿。」

樂珠眨眨大眼睛。

周太太解釋：「那是人家的私隱，不好公開，知道嗎？」

樂珠點點頭。

「知道什麼，大可放心中，要不，與媽媽商量是可以的。」

樂珠說：「是。」

她是一個聰明聽話的孩子，以後，果然什麼都維持緘默，不再點破。

親友們十分失望：「長大了，樂珠不再有透視眼了。」

「據說是這樣的，只有很小的孩子才有異能，長大之後，心思漸漸複雜，失去這種本事。」

周太太問女兒：「樂珠，你還看得穿嗎？」

樂珠笑答：「譬如說，鍾阿姨那隻名貴公事包裏只有一份舊報紙及一雙絲襪。」

周太太駭笑，因爲標梅已過的鍾小姐最愛扮作日理萬機的強人狀，天天拎着這隻沉重的公事包來來去去，大家都以爲公事包裏一定裝着滿滿的機密文件，沒想到是隻空殼子。

「可是，你看不看得到哪隻馬會得跑出來？」

樂珠搖搖頭，「我不知未來。」

「可是你又看到獎券第一第二？」

「那都寫在上面。」

「是嗎，寫在何處？」

「只有我看得到。」

是夜，周先生同周太太說：「你別去審問她，這種不正常的事，讓她忘記也好。」

「眞難以科學解釋。」

「你想找答案也不難，外國大學裏專門有人研究特異功能。」

「算了，我不想知道。」

除出這點，樂珠健康活潑，而且有一股特殊的秀麗氣質，功課極佳，使周氏夫婦心滿意足。

她的能力十分飄忽，但有時亦非常管用。

最重要的有兩次。

一次母女在銀行排隊，樂珠偶然一抬頭，立刻拉着母親走，周太太不明所以然，可是甫走到門口，警鐘已經響起。

「有人搶劫！」

「是，站在我們後面的那兩個人懷着手鎗。」

「多可怕。」周太太變色。

「眞可惜來不及聲張，否則那名護衞員當不致受傷。」

又有一次是這樣的。

周太太想做點小生意，經朋友介紹，認識一位區女士，頗有來頭，又非常熟行，條件已談得七七八八。

就在簽約那一日，樂珠去接母親，凝視區女士半晌，忽然朝母親丟一個眼色。

「什麼事？」

她把母親拉到一角，「那區女士不是好人。」

周太太啼笑皆非，「你如何得知？」

「她一顆心黑墨墨。」

「不會是胃潰瘍吧。」

「不，絕對是壞心腸。」

「樂珠，壞心腸是看不出來的。」

「不，壞人五臟六腑都透黑氣。」

周太太猶自不信，「眞有此事？」

樂珠急問母親：「你信我，還是不信？」

周太太躊躇半晌，終於說：「好，我想個藉口推搪。」

回到會議室，周太太只說丈夫未將現款存入戶口，故開不出支票。
那區女士明顯地不悅，約好明日再出來。
可是周太太隨即與女兒避到東京去度假。
一星期後回來，聽到一宗新聞。
區女士已捲了衆股東資金逃離本市。
各人損失十多廿萬，雖不是大數目，可是倒底肉痛。
「樂珠，你眞靈光。」
「媽媽，你看不出來嗎，那區某形跡鬼祟，眼神閃爍，一看就知道心懷鬼胎，計劃書又做得不詳不盡，眞虧你們信個十足。」
「唉，說三個月內便有十倍利潤。」
「所以說，豬油矇了心，名利會叫人糊塗。」
「依你說，毋需特異功能也看得出此事不妥？」
樂珠大笑，「當然啦，騙子專唬無知貪婪阿姆。」
周太太氣結。

順利上了大學，一日，有事到校務室，眼光落在講師桌子上一份文件上。

文件反轉，看不到字樣。

可是樂珠一眼就知道是一份試卷。

不是她那一系，是管理系的題目。

噫，頭一條佔四十分，問及經濟學如何運用在社會不景氣歲月。

樂珠很快離開教員室。

好友劉玉英正讀管理科，她爲人熱情活潑可愛，可是心散不喜溫習，正爲段考煩惱。

樂珠找到她，閒閒說起：「有無熟讀那本議臣所著經濟科寶書？」

玉英福至心靈，「哪一章哪一節？」

「經濟衰退何以起死回生。」

「謝謝你，樂珠。」

玉英勝在什麼問題都不問。

樂珠身邊至親友好都已習慣不問任何問題。

結果那一次考試玉英順利過關。

第二年，玉英又問：「這次，我讀第幾章？」

樂珠故意凝神，想了一想，她才答：「這次章章都要讀。」

眞的，這才是考試必勝法，章章均讀，全部讀熟，成績哪有不好之理。

玉英自然明白此理，靠僥倖那裏行得一世路，她頷首決定回家好好溫習功課。

樂珠甚覺安慰。

是，自小她便像個小大人比同齡的孩子穩重。

接着的一段日子，她專心學業，不常表演神功，家人都以爲她已忘記特異的天賦。

周太太說：「做普通人最好。」像是鬆了一口氣。

「做回她自己也不錯。」

「樂珠算是應付得不賴。」

「根本過度青少期是相當痛苦的一件事。」

身體發育得像大人一樣，思想卻剛剛脫離孩提階段，難以適應。

起碼要到廿歲左右才會認命。

這一年，周太太發覺樂珠走過信箱，總多看一眼。

「看什麼？」

「看有無信。」

有透視眼多好，沒信，就不必像一般人那樣掏出鎖匙開信箱。

「你在等誰的信？」

「不是私人信。」

「可以告訴媽媽嗎？」

「我報考了南加州大學。」

周太太吃一驚，「這等大事為何不先與我商量。」

「未必考得上，我不想過早聲張。」

「你想出去留學？」

「自然。」

周太太點頭，「那也是好事，媽媽陪你去。」

「不，你陪着爸爸。」

周太太一怔，這才發覺樂珠長大了。

一直以來，她最纏媽媽，上學、放學，全部由媽媽接送，別人去，她會不高興——「媽媽呢」，媽媽再辛苦也是值得的。

現在暗示媽媽照顧父親即可。

周太太最民主不過，不禁檢討自己：「媽媽跟得太厲害了嗎？」

「沒有的事，但是，我自己可以應付外國生活。」

周太太在心中感喟，長大了，好像沒多久之前罷了，自醫院抱回來，三公斤不到，小小個子，一天餵七次奶，唉。

樂珠似看透母親心思，拍拍她肩膀，與她擁抱。

就在那個夏季，樂珠遇見陳啓宗。

在校園裏，她一抬頭，看到他與她的老師正在說話。

在樂珠眼中，那陌生年輕男子頭上有一層紫色的薄霧，使她驚訝，故此定睛凝望。

他也發覺有人看他，所以也朝她的方向看。

老師笑道：「啓宗，我來介紹，這是我的高材生周樂珠。」

樂珠的感覺奇異，走近他，他頭頂上紫氣漸漸消失，再也看不到了。

這表示什麼？

連樂珠自己也不明所以然。

這是一個特別的人嗎，特別好？特別重要？

樂珠年輕的心中充滿疑問。

她一與他談話就有特殊好感。

陳啓宗是老師以前的學生，自南加州來，樂珠因利乘便，問了他許多關於大學裏的事。

「你是國際通訊網絡的會員嗎？」

樂珠點點頭。

「好極了，這是我的號碼，日後我們可以通訊。」

樂珠歡欣地應允。

她心中有種十分喜悅的感覺，樂珠認爲與從前所有的快樂不一樣。

電光石火間，她明白了，這是戀愛的感覺。

樂珠漲紅面孔，耳朵發起燒來。

在陳啓宗眼中，會得臉紅的女孩已絕無僅有，這個大眼睛女孩何其可愛。

兩個年輕人幾乎即時發生了感情。

留在本市短短日子裏，他頻頻約會她。

樂珠仍然小心。

她凝視他。

發覺他胸肺之間有一團白氣。

這又是什麼意思？她看不清楚他。

可是樂珠並無足夠的時間，陳啓宗很快離去，他們只能用電腦上的通訊網絡通信。

樂珠十分沉迷，長篇大論那樣去信，坐在電腦面前，一做大半天，相當影響功課及日常生活。

周太太不由得不提醒她：「樂珠，當心眼睛太用神。」

「不怕。」

「這是你在等待的信嗎？」

樂珠歡呼一聲。

「希望信裏是好消息。」

周太太詫異，把信放在她面前，「你看不出來嗎？」

樂珠聚精會神，可是那隻信封似包了鉛，看不透。

奇怪，樂珠驚疑不定。

「拆開一看不就知道了。」

樂珠不服氣，目光轉向衣橱，本來，哪一件衣服掛在何處，她一目了然，可是此刻，她看到的只是櫃門。

她掩住嘴，呵，異能消失了。

她跌坐在椅子裏，跟着她超過廿年的異能終於消失了。

這時周太太已拆開信來讀：「樂珠，是好消息。」

大學取錄了她，不久將來，她可前去與陳啓宗會面。

樂珠把這個消息告訴玉英。

玉英對另外一件事比較感興趣，追問：「你的異能完全消失了？」

「是。」

「多可惜。」

「不，視物不再有半透明叠影，清爽得多。」

「你好似不甚稀罕。」

「我一直不覺得與衆不同有何好處。」

「今後，你與我們是完全一樣了。」

樂珠笑道：「那豈非更好？」

玉英忽然說：「我知道啦！」

「知道何事？」

「一旦戀愛，異能消失。」

樂珠一怔，漸漸明白這是事實。

可是口頭仍然否認：「誰說的，這種能力，來得奇怪，當然去得也奇怪。」

玉英堅持：「不不不，人一旦戀愛，連心靈都會受到蒙蔽，不要說是雙眼了，你看，所以畫中丘比得都是矇眼的。」

樂珠只是笑。

她才不在乎。

異能消失就消失好了。

她看到的前途是美好的。

樂珠反問玉英：「你打算如何？」

「我家境不如你，畢業後找工作做，希望一切順利。」

「你的願望一定可以達到。」

「謝謝你，樂珠，告訴我，在社會上，我應當小心什麼人？」

「口是心非的人，意圖不軌的人，口蜜腹劍的人。」

「怎麼看得出來？」

樂珠笑笑，「不幸大多數僞裝得太好，完全看不出來。」

玉英吃驚，「那可怎麼辦？」

「小心翼翼，如履薄冰。」

玉英顯得沒精打采，樂珠大力拍打她的背脊。

這次聚會沒多久，樂珠就遠赴重洋了。

從前眞是大事，自地球一邊去到另一邊，足足十萬八千里路。

此刻不過是十來小時飛機航程。

周太太陪着女兒到美國，樂珠這時才發覺家境小康有萬般好處，周太太隨手一指，便買下近大學區寬敞公寓一幢，傢具雜物全部送上門來。

繼而置歐洲跑車及房車各一部，找到家務助理幫忙，還有餘閒陪女兒逛街添置衣物。

有錢眞好。

無論什麼都不大需要看價錢，大約知道數目即可，世上所有東西的標價仍然合理，兩星期後已事事皆備。

「媽，你如覺得悶，可以回去了。」

周太太瞪瞪眼，「我妨礙你嗎，周小姐？」

樂珠笑嘻嘻，「我後日開學了。」

「那多好，我自有去處，不勞你操心。」

樂珠挑一個晴天去探望陳啓宗。

樂珠刻意打扮過，駕車出門。

她不熟路，繞了一個大圈子才到他校門。

她已通知他，她會在九月初抵達，但這次前來，是想陳啓宗得到意外驚喜。

不知怎地，年輕人最喜歡驚喜，而年紀越大，則越怕意外。

驚喜不必了，過度的歡欣也令人吃不消，每日按部就班即可，日子悶些無所謂。

這種話，可別說給周樂珠聽，她還年輕，她喜歡各式各樣的驚喜。

即使須付出很大的代價。

她找到校務所。

職員同她說：「陳今日沒課，在家裏。」

「你肯定他在家？」

「是，十五分鐘之前有事才找過他。」

樂珠至此還不知收手，猶自興致勃勃去買了水果，將車子駛到陳宅去。

如此又蹉跎了一個多小時。

抵達陳宅，已是下午四時。

那是一幢小洋房，在中等住宅區，適合年薪四至五萬元人士居住。

這種收入人士通常三十餘歲，孩子還小，故腳踏車隨處可見。

樂珠走到前門，伸手去按鈴。

內心忽然有一絲不安，卻不知是何事不妥。

她終於按了門鈴。

半晌才聽見有一兩聲犬吠。

咦，莫非是出去了？

可是又聽到腳步聲。

大門打開，確是陳啓宗。

樂珠連忙笑，略帶靦腆地問候：「好嗎？」

陳啓宗是眞心歡喜，「你來了？大駕光臨，倒履相迎。」

樂珠見他那麼熱誠，放下一大半心。

「請進來，有沒有地方住？開了學沒有？」

樂珠一五一十告知。

他住所不大，佈置簡單，有點凌亂。

沙發上有小孩玩具。

噫，怎麼一回事？

樂珠抬起頭來。

就在此際，內廳轉出一名相貌娟秀的少婦，笑嘻嘻招呼樂珠：「是哪位同學？」

陳啓宗說：「我同你介紹，這是我妻子瑪利。」

樂珠一直維持微笑。

接着，有兩個三五歲的幼兒跑出來叫爸爸，像是半睡剛醒，然後，有一名更小的孩子啼哭。

少婦連忙去照顧嬰兒。

陳啓宗一手抱起一個孩子，無限憐惜，一看就知道是個好父親。

樂珠連忙站起來，「我是順道經過。」

陳啓宗也不想留客，「家中雜亂，眞不好意思。」

「改天我會預約，今日實在太過冒昧。」

陳啓宗送她到門口，陳太太抱着嬰兒出來。

那小小嬰兒眼睛都睜不開來，至多十天八天大。

少婦說：「我剛自醫院出來……」

樂珠問：「有人幫忙嗎？」

「有，天天下午來。」

樂珠聽見她自己老氣橫秋地說：「要多休息，吃好點。」

非常得體禮貌客氣地，她告辭，留下一大堆精緻的糖果餅食。

陳太太笑說：「你這名學生最可愛了。」

「是，聰明伶俐，又懂得執弟子禮。」

「現在極少學生肯這樣懂事。」

「誰說不是。」

樂珠在回程中一直緘默。

車子快到達家門時她才豁然一笑。

冰雪聰明的她忽然看開了一切。

就在該剎那，她忽然看到隔壁車子車頭正冒煙。

不，應該說，車頭蓋內正冒煙。

樂珠連忙響號，大聲對那司機說：「車頭有事，快停下車察看，打開車蓋時小心。」

那司機連忙感激地道謝，把車子駛到路邊停住。

樂珠則繼續往前駛。

咦，她怔住了。

怎麼又恢復透視的能力了？

她爲之惻然。

當然，已不再戀愛，故此耳聰目明，什麼都看得見聽得到。

戀愛中人，對一切都含糊不清。

她甚至沒看出對方是個有家室的人，三個孩子還那麼小。

幸虧陳啓宗不是壞人，沒有利用機會，佔一個無知少女便宜。

其實一定有蛛絲馬跡可尋，他在通訊中曾多次提及家庭，可是樂珠一直以爲那是指他與父母兄弟姐妹。

一個人心甘情願要盲的時候眞是可以盲得不能再盲。

回到家中，見母親購物回來，一隻隻盒子擱在桌子上。

樂珠詫異道：「一連買六雙紅鞋，不嫌膩？」

她可以維持她的異能直到下一次墮入愛河。

借人

朱家倫自從畢業後就在宇宙機構做事。

她爲人沉靜，低調，認爲做人至要緊姿勢好看，如果惡形惡狀地追求一件事，那麼，贏了也等於輸了。

從家倫的衣着打扮可以看出來，她平時穿的黑白灰三色，她整齊的髮式，以及實事求是的作風，都顯示出孤傲的性格。

在今日，這種品格並不曾受到普遍的欣賞。

在辦公室中，總是那些戴大耳環，嘴裏會哼一兩支小調的女性受歡迎。

雖然家倫陞得並不比別人慢，但倒底她要付出多三倍精力。

這倒還罷了，家倫遺憾的是她始終沒有要好的男朋友。

能夠叫一個男人手足無措地那般傾倒是難得的，女同事楊蓓莉便有爲她神魂顛倒的

男友。

他們準時管接管送，送糖送花送名貴手袋，簡直像奴隸一般。每個人都有天才，蓓莉控制男生的才華是叫人佩服的。

奇是奇在蓓莉樂意同家倫做朋友，二人實在太過南轅北轍，毫無衝突，俗云同行如敵國，她倆顯然沒有這種顧忌。

蓓莉常往家倫辦公室跑，喜歡與她商量所謂大事。

今日中午，她探過頭來，「家倫，又吃蘋果當午餐？」

家倫笑着點頭，「請進來。」

蓓莉坐下說：「給你看一件衣服。」

她打開一隻大盒子，裏邊裝着件黑色緞子晚服，一大半用纍斯縫成，歐洲名貴牌子。

她穿上一定既危險又好看。

「又是誰送的？」

「我自己買的。」

「大手筆。」

「上舊生聯誼會去吃飯，這身打扮代表我三年來的成就。」

家倫笑笑。

「我帶什麼樣的男朋友去好？」

家倫替她出主意：「英俊、能幹、富有，最好財經版上登過他的照片，一定可以叫你舊同學刮目相看。」

「對！」蓓莉完全贊成。

她捧着盒子出去了。

另一位同事麥玉成進來，看着蓓莉背影，喃喃道：「膚淺。」

家倫聽見，輕輕答：「我才不會那樣說。」

「還說不是？」

「蓓莉頭腦最清醒不過。」

「她有腦嗎？」

「有，怎麼沒有，比你我發達得多了，她完全知道要的是什麼，一直朝着這條路

走，很快就會成功。」

「靠男人？」

「那也是一種辦法。」

「家倫，我以爲你會看不起這種人。」

家倫笑，「河水不犯井水，我從來不敢看不起任何人。」

麥玉成嗤一聲笑，「對，家倫，我決定與王熹訂婚。」

「恭喜你，玉成，那是個好人。」

玉成歎口氣，「光是好人，說服力不強。」

「誰說的？對你不好，身家億萬，貌至英俊又有何用。」

「家倫，你思想如此通明，照說，沒有道理找不到男朋友。」

家倫笑，「你怎麼知道我沒有知己？」

「對不起，也許你收藏得好，我們沒看見。」

麥玉成離去。

家倫低下頭，她是眞的沒有親密男友。

最可怕是那種星期天聚會，所有長輩都歡聚一堂，一見家倫，都殷殷垂詢：「家倫，找到對象沒有？」家倫巴不得找個地洞鑽。

發誓找到那個人之後也不會帶他到那種場合去。

幾位太太一邊打麻將一邊笑謔，「家倫的眼角高，要好好地挑選是不是。」

眞是寂寞。

過了三十歲就好了，大家忌諱，也就不會再問這件事。

也許應該改一改作風。頭髮留長，梳蓬鬆點，像剛自牀上起來，又可以隨時回到牀上去，紅唇、瞇瞇眼，衣服彩艷，領口稍微大一點……

可是，姿態那樣難看，贏了也等於輸了。

就在那個月下旬，家倫的母親進醫院做例行身體檢查，發覺胸口有硬塊。

經過化驗，證實是癌。

家倫至爲震驚。

朱太太反而要調過頭來安慰她。

「這也不是絕症了，可以醫得好。」

家倫伏在母親身上，傷心欲絕。

「囡囡，我只想看到你成家立室。」

家倫淚如雨下。

「你若有要好的朋友，帶來我看看。」

家倫只得唯唯諾諾。

眞是個難題。

她沒精打采，同楊蓓莉訴苦：「說不定是母親最後願望。」

「我借個人給你。」

「什麼？」

「借一位小生用一用。」

「這不太好吧。」

「沒關係，反正現在男女之間十分兒嬉，三兩次約會之後從此不見也很普通。」

「那人是誰？」

「不過是做一場戲，我給你介紹一個演員吧。」

「有如此人才？」家倫駭笑。
蓓莉拍胸口，「包在我身上。」
幸虧從來沒有小窺過楊蓓莉。
「是要酬勞的吧。」
蓓莉說：「別市儈，幫朋友，極應該。」
家倫放下心來。
隔了一天，在咖啡室裏，楊蓓莉把言偉興介紹給她。
「偉興懂得怎麼做。」
她有事，先走一步。
家倫逼切同小言說：「蓓莉都告訴你了？我還需要補充什麼嗎？」
「不用，我明白。」
倒底是演員，樣貌英俊，聲線清晰。
「家母此刻在醫院，明日一早要動手術。」
小言說：「那麼，事不宜遲，我們馬上出發。」

家倫往停車場走去。

那言偉興說：「慢着，不能空手去。」

他到附近買了冰淇淋巧克力及各種罕見水果。

家倫爭着付款，被他瞪一眼。

她縮手，「怎麼好意思——」

「慢慢算。」

到了病房，朱太太看見冰淇淋，呀地一聲，高興得不得了。

「嘴巴淡，正想吃這個。」

家倫投向感激一眼，小言笑笑。

她爲母親介紹。

朱太太精神大振，渾忘疾病，與小言攀談起來。

「言先生幹哪一行？」

「我是建築師。」

「家裏有些什麼人？」

「父母雙全，一名兄長，經已結婚。」
「你同他們住嗎？」
「是，我住在山頂道，是家父自置物業，大哥一家就在附近，方便照顧父母。」
「你自己可有物業？」
至此，爲求逼眞，家倫輕輕咳嗽一聲，以示抗議。
其實她不介意，這又不是她眞男友，怕什麼問長問短。
言偉興抬頭笑笑，「沒關係，伯母，我身爲建築師，近水樓台，自然置有物業。」
朱太太老懷大慰，「你們認識多久了，是怎麼認識的？」
小言毫不猶疑，「由朋友介紹，雖然日子不長，感覺已經很久。」
「你對家倫，是認眞的吧。」
家倫提高聲線，「媽，別說太多，冰淇淋要融化了。」
言偉興又捧上櫻桃及桃子。
朱太太咪咪地笑，大有死可瞑目之感。
他們又談了一會兒。

家倫只覺得言偉興表現得斯文有禮，熱誠可嘉，眞是個好演員。

再過一刻，朱太太累了，言偉興告辭。

家倫把他送到門口，感激萬分，「謝謝你。」

他轉過頭來，溫和地說：「不客氣。」

他看着家倫的黑髮素面，這個女子要近距離面相才知道有多美，可是，細緻五官潔白肌膚一下子被他人響亮的俗艷掩蓋，故此在人羣中吸引不到粗淺庸俗的眼光。

他終於說：「我明早再來。」

家倫連忙說：「不用了。」

「不，我願意那麼做。」

家倫頷首，這叫做演員道德，此君將來會得大紅大紫。

家倫已決定要送他一件厚禮。

那一晚，她在醫院裏陪伴母親。

第二天一早，看護便來打點，預備送朱太太進手術室。

言偉興及時趕到。

他一身西裝，稍遲似要趕去開會似的，家倫可以聞到他身上肥皂清香。

他對家倫微笑說早，隨即握着朱太太的手。

朱太太似被注射了一支強心針，輕輕抱怨：「你應早就來看伯母。」

「是家倫不讓我來。」

「這個孩子是有點孤僻。」

朱太太進了手術室，小言同家倫說：「我要到公司去處理一些事宜，約個多小時後再來。」

「不用了，多不好意思，叫你跑來跑去。」

小言卻說：「朋友要來作甚。」

家倫點點頭。

他給她一隻手提無線電話，「你拿着。」

漫長的三小時，家倫一個人坐在候診室度過。

電話響了，是他。

「可需要替你買些什麼？」

「我肚子不餓。」
「咖啡與鬆餅可好？」
家倫只得接受。
她一夜沒睡好，在醫院裏又不能化粧更衣，自問似隻蓬頭鬼。
幸虧不是眞的男朋友而是見義勇爲的一名幫手，否則眞不知拿何種面目見他。
小言上來，看到家倫握着雙手，垂着頭，一言不發坐在那裏。
他憐憫地走過去把手搭在她肩上。
家倫抬起頭來。
「醫學昌明，你放心。」
家倫淒然落淚，「我想到幼時家母親手替我沐浴的情況。」
他輕輕擁抱她。
家倫說下去：「家父早逝，一頭家全靠家母支撑，她有一份正職，可是早上五六點就起來兼職抄寫，十分辛苦。」
小言不說話，可是握緊她的手。

他遞咖啡給她。

家倫一邊落淚一邊喝一大口咖啡。

她心中抑鬱稍抒。

這時，醫生出來了。

家倫立刻站起來。

看醫生的笑容便知朱太太平安。

「手術順利，一切無礙。」

家倫鬆下氣來，只覺四肢輭弱不堪。

朱太太甦醒，看到女兒及她男友金童玉女似站在面前，十分寬慰歡喜。

「你們回去休息，這裏不需要你們了。」

「媽，我回去淋浴即返。」

「補一覺才來看我未遲。」

言偉輿立刻說：「那麼我送家倫回去。」

家倫說：「怎麼好麻煩你。」

「順路。」

對他來說，一切都不算麻煩，眞是個好人。

在他車子裏，家倫不覺倦極盹着。

到家才被他輕輕推醒。

眞奇怪，在陌生人的車裏都會這樣鬆弛。

「你先休息一會兒，就會我來接你。」

家倫忽然堅強起來，不，她不能倚賴任何人，他的責任已經完畢。

「我自己會去。」

「你肯定？」

「自然。」

小言笑笑，「那我先走一步。」

「慢着。」家倫叫住他。

他又轉過頭來，一雙眼睛充滿盼望。

「我如何同你聯絡？」

「呵，對不起，這是我的名片。」

她同他道別，「謝謝你，改天我們一起吃飯。」

「一言爲定。」

回到家，她把他的名片放抽屜裏，累極入睡。

做了許多亂夢，驚醒，一看時間，連忙淋浴更衣，趕到醫院去。

朱太太在看電視，氣色甚佳，家倫放心。

「咦，言先生呢？」

「他工作忙，」家倫溫和地說：「稍後還有應酬。」

「他派人送了花來。」

家倫看到芬芳的花籃，楊蓓莉、麥玉成與其他同事眞正難得。

朱太太說：「那樣好的朋友，可要緊緊抓住。」

「醫生說，你得定期回來電療服藥。」

「是，我會大量掉頭髮。」

「且不忙說這些。」家倫十分不忍。

「對，家倫，你們論到婚嫁沒有？」

「還早着呢。」家倫支支吾吾。

「家倫，要速戰速決。」

「媽說得好似去打仗似的。」家倫好笑。

忽然之間，朱太太雙眼一亮，展開笑容。

咦，誰來了，家倫轉過頭去，病房門口站着言偉興。

家倫衝口而出，「你怎麼又來了？」

「不歡迎我？」

「怎麼會，」朱太太眉開眼笑，「家倫說你忙。」

「我坐十分鐘就走。」

他輕輕放下若干雜誌。

家倫也十分高興，她們母女的確有點寂寞。

這時，親友們也陸陸續續上來探訪。

家倫有機會與小言閒談幾句。

他說：「明天下午我會飛到倫敦去簽一張合約。」

家倫問：「是外國公司嗎？」原來他還是國際級演員。

「是，我回來之際，伯母已經出院。」

家倫點點頭。

「她若問起我——」

「你放心，我會先推搪一番，然後，說我們已經分手。」

小言大吃一驚，「什麼？」

家倫索性開玩笑，「你再不消失，她會逼你同我結婚。」

「不能先做朋友嗎？」

家倫仍然笑，「當然我們仍是朋友。」

小言忽然握住家倫的手，「我倆已經歷那麼多，你怎麼好說我們只是朋友？」

家倫一愣，還來不及會過意來，親友們忙着拉住言偉興問長問短，簡直已把他當作朱家女婿看待，由他轉述朱太太病情。

家倫靜靜坐在一角，感覺到前所未有的安全感。

心靈有種奇異的激盪感，一向照顧自己的人忽然被人照應，不禁感動至深。

小言又趨向前同朱太太耳語。

他一定是告訴她要去倫敦吧，拍外景不知要多少天。

果然，朱太太說：「早點回來。」

朱太太出院返家，家倫也恢復上班。

一日，在抽屜裏找到言偉興的名片。

上面這樣寫：周言張建築事務所，皇家建築學會會員言偉興。

嘩，好逼眞的道具。

周太太問：「偉興可有打電話來？」

家倫不欲掃母親興，「有。」據實報告。

「說些什麼？」

「很忙，工作進行順利等等。」

「幾時回來？」

「後天下午。」

「家倫你彷彿對他尚有保留。」

家倫不語。

人家只是來客串演出，如何可以當眞。

她若有不恰當表示，即係自作多情。

可是他回來那日，她還是去接飛機了。

一大早，全世界最擠逼的飛機場尚有餘地，家倫看着他拎着簡單手提行李出來。

她踏前一步，他看到了她，神情有刹那激動，可是沒說話，他伸手緊緊摟住家倫不放。

家倫看到他淚盈於睫，她也不禁鼻酸。

兩個人都知道他們已經愛上對方。

眞是慘，生活已經夠辛苦，還要發生這種事。

外頭在下雨，他們在雨中站了很久，直至司機下車過來同他招呼。

他拉着她上車，深深吻她的手，說什麼不肯放開，連家倫都知道，這不是演技。

他送她到公司。

她在電梯大堂險些與人碰撞。

停睛一看，是楊蓓莉。

家倫無故臉紅。

蓓莉問候：「伯母好嗎？」

「好，她很好。」

蓓莉笑，「叫你別擔心，從沒見過那麼孝順的女兒，你看你，瘦了一圈。」

家倫低下頭。

「怎麼了？」

「蓓莉，你知道你介紹給我的人……」

「人，什麼人？」

「喏，那一天，在咖啡座。」

「誰？」眞是貴人善忘。

「言偉興。」

蓓莉想半日，「呵，小言那件事，對，他表現可好？人是挺斯文，可惜古板，所以

我猜他同你像一對。伯母信不信他是你男友？」

「信。」

「好了，現在難關已過，你可以另外找一個有趣一點的人了。」

家倫說：「眞沒想到一個演員會對人對事那麼認眞。」

蓓莉笑，「可是，言偉興不是演員，他是一個建築師。」

「不，他演一個建築師。」

「不，」蓓莉也搶着說：「他眞是一名建築師，那著名的式模山莊正由他設計。」

家倫十分迷茫。

蓓莉看見其他同事，忙着打招呼。

「可是，」家倫說：「你說替我找一個演員。」

「那小生沒空，我只得另外替你物色一人，不怕啦，我們每個人血液中都有演戲因子。」

家倫睜大雙眼。

那日中午，她照着周言張建築師事務所的地址去尋人，職員延她入內，請她在會客

室稍等。

「言則師在見業主。」

事務所相當忙碌，但是並非亂忙，十分有條理，而且靜寂。

這是一門嚴肅的行業，同戲行的七彩繽紛不可同日語言。

家倫不知是否有點失望，但只要他是他，她已心滿意足。

半晌小言出來，笑問：「你怎麼來了？」

家倫不言語。

他問：「可是想着我？」

這個時候，她只覺眞摯，不覺肉麻，她點點頭。

片刻她說：「你去忙你的工作吧。」

半年後，他倆就結婚了。

最高興的自然是朱太太，她的病已接近全部痊癒，現在眼見女兒又獲得歸宿，更覺滿足。

新婚夫婦在劍橋蜜月，二人坐在河畔柳樹底下，避那微絲細雨。

家倫的肩靠住丈夫的背脊，嘴裏在吃櫻桃，說話有點含糊不淸。

「那次，」她說：「眞感激你見義勇爲。」

「我是靠那樣打動了你的心吧。」

「是，我們母女在那個時候至爲孤苦。」

「家裏總要有個把男丁。」

「你也不見得會擔會抬。」

「我手下有地盤工人。」

家倫笑，然後感喟，「我們母女蓬頭垢面，難得你不嫌棄。」

「先打了防疫針，以後知道是怎麼回事，日子比較容易過。」

兩個人都笑了。

然後緊緊擁抱。

所以說，凡是有緣份該在一起的人，最終會走在一起，冥冥中自然有力量爲他們製造各式各樣的機會見面。

以家倫這樣性格，即使有比較談得來的男友，也斷然不會請他到醫院去見母親。

可是她卻接受言偉興，因覺他不是眞男友，無心理負擔。

這時她聽得丈夫說：「現在我們沒有什麼遺憾了吧。」

「有。」

「那是什麼？」

她凝視他，「你並非電影皇帝。」

暑假

阮承祖沒考到好大學，神情有點憔悴。

姐姐惠祖嘀咕他：「告訴你是一輩子的事，偏不相信，叫那王曼怡纏住了，天天晚上在她家中留到凌晨三時，還有什麼時間溫習！」

姐姐說得對。

花太多時間在女友身上，自己太懶，太輕敵，根本沒考慮到新移民以倍數增加，加拿大卑詩大學學位緊得很，成績需三個A以上才能有取錄把握。

只差那麼一點點。

姐姐見他不出聲，便適可而止，停止教訓他。

最叫人難過的是，王曼怡一家拿到護照回流去了，一聲再見珍重，承祖便失去女朋友，這件事叫年輕的他大惑不解。

怎麼可以說走就走呢？

年輕的他那顆年輕的心受到嚴重傷害。

彼此已投資了無限時間精力，一聲回去，曼怡好似還頂開心，嘰嘰呱呱談着未來的計劃，什麼一位表叔在唱片公司任職，可以介紹她去試音等等。

她一點離別的愁苦都沒有。

承祖知道自己這一次是表錯了情。

原來王曼怡不過利用他打發時間，管接管送，陪進陪出。

她根本沒打算與他有任何長遠計劃，她也一早知道，父母決定一拿護照就走。

承祖在某一個程度上可以說是遭到欺騙了。

可是在這個重女輕男的社會裏，女孩子受到委屈，那是有人同情的，而他，阮承祖，不過是不知自愛，疏懶，兼不知輕重的一個年輕人。

承祖幾乎被打沉。

大半個暑假躲在家裏睡懶覺，不肯外出活動。

父親問他：「送你到美國去讀書可好？」

他又不想離開熟悉的朋友與環境，躊躇不已。

畢竟是才只得十九歲的男孩子。

「做不做暑期工？」

「一小時才只有幾塊錢工資。」

「小阮先生，你倒底想怎麼樣呢？」

他自己也不知道，失戀兼失意，這是他生命中最可怕的一個暑假。

那一天，他睡到十一點，實在不能再睡了，勉強起牀，到厨房找東西吃。

姐姐在講電話。

她們女孩子一打電話就是半天，是最佳消遣。

只聽得姐姐說：「呵，是嗎，剛剛抵埗，尚未考到駕駛執照，那太不方便了，在香港有司機？那當然，在這裏是差好遠，不過，有一種褓姆車，每天管孩子接送，應運而生，是是是。」

又說了半日，才掛斷電話。

看見弟弟坐在她對面喝咖啡看報紙，不禁歎口氣。

惠祖說：「離鄉別井眞不容易。」

承祖問：「又是哪一家？」

「伍春明的表姐。」

承祖說：「都來了。」

「是呀，一到暑假，每一家都有親戚前來會合，家家擠滿了人。」

「溫埠將成爲一個華人社會。」

「不會的，」惠祖笑，「華人對治權不感興趣。」

「他們終於找到香港以外的烏托邦了。」

「你看這華麗秀美的夏季，要山有山、要水有水，眞是沒話講。」

「姐姐你可成爲溫埠的宣傳部長。」

「宋家就住在我們附近。」

「哪個宋家？」

「伍春明的表姐。」

「原來還在說他們。」

「來，陪我去探訪朋友。」
「我才不去。」
「你在家又有什麼事可幹？」
「睡覺。」
「還沒睡夠嗎？」惠祖瞪着他。
承祖無奈，只得更衣沐浴，先陪姐姐去買了水果餅食，再去挑選玩具。
雙手捧滿禮物才上門去。
「爲何如此客氣？」
「春明於我有恩。」
「那你算是好人。」
「自然，得人恩惠千年記，受人花戴萬年香。」
可是，這個暑假仍然是阮承祖生命中最悶的暑假。
他駕車送姐姐到宋家，姐姐兩年來始終沒考到駕駛執照。
「你要走之際我來接你。」

「一起嘛。」

「放過我，聽太太們聊天會悶死我。」

正在拉扯，忽然有一輛小小三輪車自斜坡衝下來。承祖眼明手快，連忙接住。

惠祖嚇得呱呱叫。

「小心小心，喲，你又沒戴護膝又不戴頭盔，這太危險了。」

三輪車夫是個五歲左右的小男孩，不但不怕，且嘻嘻笑。

主人家在門口出現：「是阮小姐嗎？」

承祖一抬頭，怔住。

他見過不少新移民太太，毫不諱言，眞是庸俗的多，大花套裝，大顆寶石，配大屋大車，還有，大嗓門，時常叫本地人吃不消。

可是這位宋太太與衆不同。

她臉上沒有誇張化粧，衣着素淨，手臂上抱着個幼兒，大約三歲。

秀麗的她看上去似哪一個文藝片女演員。

年輕人看人，總以外表爲重，阮承祖便是一個這樣的年輕人。

宋太太招呼，「請進來，」又歉意道：「剛搬到，家裏一塌糊塗。」

原來以爲她客氣，進得屋來，果然如此。

一隻隻大紙盒堆得倒處都是，一個佣人模樣的中年婦女正在忙收拾，沙發暫時打橫放着。

惠祖介紹過弟弟，「有什麼叫他擔擔抬抬，不用客氣，他正放暑假。」

那宋太太在百忙中卻維持一股閒逸之氣，「我先生有事回香港去了，這屋裏沒有一個人擁有駕駛執照。」

惠祖搶着說：「承祖，你還不問宋姐姐什麼時候想用車？」

承祖這個時候，又不介意做義工了，只是靦腆地笑，「我全日都行。」

宋太太大喜過望，「每日上午載褓姆及孩子們出去兜個圈子，到麥當勞去坐坐，好讓我收拾這個家。」

「一言爲定，承祖，你每天早上十時正到。」

就這樣，結束了阮承祖睡懶覺的好時光。

「明天開始。」

離開宋家，承祖取笑姐姐，「賣弟求榮。」

惠祖說：「據春明講，宋家環境有點複雜，宋先生在香港另有女友。」

呵。

「宋太太，一人支撐這頭家，是爲着兩個小孩。」

承祖不語。

「所以儘管錦衣美食，她的心情也不會太好。」

承祖說：「每個人都有煩惱。」

姐姐揶揄他：「你又有什麼煩惱，你無腦才眞。」

承祖爲之氣結。

「替你報了名到加州上大學，你知道嗎？」

「我不去。」

「咄，太沒出息，男兒志在四方，你聽說過沒有。」

「美國人都配鎗。」

「那你切莫落後於人才好，一於入鄉隨俗。」

「惠祖你都沒有同情心。」

「你都一八〇公分高了，我還同情你？」

第二天，承祖來到宋家，女主人正在打理家務。

她頭上束着絲巾，脂粉不施，忙得不可開交。

可是一個客廳已經約莫整理出來了，她擁有許多水晶擺設，因爲孩子還小的緣故，都放在較高的地方。

她笑着攤攤手，「不像樣子。」

承祖不語。

人一成年就墮入風塵，非打理這些雜七雜八的開門七件事不可。

阮承祖他還大約可以逃避幾年。

這時褓姆把孩子們領出來，一式穿藍白水手裝。

宋太太說：「拜託了。」

承祖與他們三個上車，先帶他們去吃一頓午餐，問準褓姆，大家到沙灘去坐了一會兒。

褓姆不諳英語，承祖不大懂粵語，正好不說話，各歸各輕鬆。

孩子們嬉戲，承祖去買來冰淇淋。

褓姆結結巴巴說：「謝謝你，好孩子。」

孩子？承祖想，吾在女孩羣中不知多受歡迎。

「何處……中文報紙？」

收隊之後，承祖把車兜到書報店去買了兩張中文報紙，把它們交到褓姆手中，承祖永遠不會忘記她眼中感激之情。

那中年婦女喃喃自語：「誰說外國長大的孩子不聽話。」

回到宋宅，裝修工人正在掛窗簾，孩子們撲入母親懷中。

宋太太端出茶點招待。

承祖不愛吃甜點，他告辭，她送他到門口。

「不必客氣。」

「謝謝你幫忙。」

「明天見。」

他把車子駛走，回到家，發覺車座上有毛毛玩具。

小時候他老是拿姐姐的玩具來折磨，弄得惠祖十分惱怒，已經忘卻許久的事忽然都勾起來。

第二天他準時到宋家，看到園子裏已安放好鞦韆架子。

一個家已逐步形成。

有一輛黑色的歐洲跑車停在門前。

哪一位客人比他更早。

一走近門邊，便聽到客廳傳出吵架聲。

承祖受西方教育，即時覺得不應竊聽，他走到花圃去，剛好碰到褓姆出來。

「呵，你來了，我去叫孩子們。」

今日，要去學校登記報名。

「請等等宋太太。」

不到一會兒，她忽忽出來，很客氣地說早，摟着孩子，坐在後座。

她掩飾得很好，神情並無異樣。

可是跑車主人十分生氣，大力拍上車門。

那大孩子忽然叫「爸爸，爸爸。」

原來是爸爸，他回來了，可是沒有花時間陪伴他們。

褓姆說「噓」。

在倒後鏡中，承祖看到宋太太的神情有點憔悴。

與其天天吵，不如分開的好。

這話不知是誰說的，承祖對之印象十分深刻。

他忽然慶幸自幼父母都肯在他們身上用時間，尤其是母親，一發覺懷孕便辭職在家專門服侍他們姐弟，承祖記得無論幾時起牀都可以看見媽媽的笑臉。

當然，她有時也生氣，也會打罵他們，不過，仍然是世上最好的母親。

那大孩子仍在問：「爸爸到什麼地方去？」

沒有人回答他。

承祖對學校手續自然最清楚不過。

不消十分鐘已辦妥一切事宜，他帶着孩子們去參觀校舍。

大孩子輕輕問他：「爸爸到什麼地方去？」

「呵，」承祖只得這樣答：「他去上班。」

那孩子似乎滿意了，緊緊握着承祖的手。

承祖爲之惻然。

宋太太想吃日本菜，承祖即時送她去市中心。

她很少開口，正好承祖也不愛說話，車裏一片沉默。

飯後回程中孩子們打盹睡着，車廂內更靜。

承祖彷彿聽見宋太太輕輕歎息。

住那麼大的房子卻有那麼多的不如意之處，眞難以想像。

再過一日，宋宅已全部打點好了。

一踏進屋裏，只覺裝潢如建築文摘中的插圖，美不勝收。

宋太太叫他弟弟。

「我今日去考駕駛執照，祝我成功。」

不知怎地，承祖不十分熱衷。

他喜歡她，也與褓姆孩子合得來，悠長暑假沒事做，這已成爲他的精神寄託。

「泳池水已放滿，你喜歡游泳嗎？」

承祖點點頭。

片刻她自外返來，告訴承祖，「我已考到執照。」

承祖惆悵，這下子用不着他了。

「可是爲安全起見，我打算接載孩子，先把路練熟再說，這個暑假，還是靠你了。」

承祖立刻展開笑容。

她有點訝異，這個大孩子喜歡他們一家，這眞是難得的緣份。

承祖教孩子們游泳，忽爾聽到長窗內有爭吵聲。

褓姆一聲不響，只是低着頭。

承祖不是沒考慮過，他也知道這不關他事，可是在街上見到途人跌倒受傷也不管他事，理論上卻應該見義勇爲。

他自泳池起來披上毛巾衣進屋子去看個究竟。

剛好看到一個男人伸手把女主人推跌在地。

他還想走過去欺侮她，承祖已經擋在二人之間。

那男子猛地見到一個高大壯健粗眉大眼的年輕人，不禁一呆，被嚇退了。

承祖扶起她。

她慘澹地說：「謝謝你。」

這時褓姆拖着兩個孩子進屋。

承祖忽然做起感情顧問來，「可以解決的話，不如儘早解決。」

她哭泣起來。

他過去握住她的手。

那天，他陪他們到下午才走。

不到一個星期，惠祖說：「宋氏夫婦終於離婚了。」

承祖問：「爲什麼拖那麼久？」

「贍養費問題。」

承祖一怔，「她不像是貪錢的人。」

「不是她，是他。」

那樣說，她的運氣也就很差了。

「孩子們歸女方。」

「她的確很愛他們。」

「可是，還得僕心僕命出錢出力替那個無良的人養孩子，眞倒楣。」

「那也是她的孩子。」

「你這個司機倒是忠心耿耿。」

「是嗎。」

「有人看見你們在羅卜臣街露天咖啡座坐在一起。」

「是嗎。」

「還有，你陪她在唐人街買菜。」

「是嗎。」

「承祖，你未滿廿一歲。」

「是嗎。」

惠祖歎口氣，「危險人物。」不知是否說承祖。

「是嗎。」

都是眞的。

有時承祖在宋家聽音樂聽到深夜。

她寂寞，他也是，雖然當中差了十多歲。

他覺得她溫柔傷感，非常動人，同他那些小女朋友感覺完全不同。

小女孩子只懂得吊高聲線說話作嬌俏狀，可是她一舉手一投足自然散發女性魅力，她的眼神對人對事有深切的瞭解及感情，承祖願意與她相處。

這種消息最易傳開。

在香港的父母聽見，打電話來質問。

承祖反問：「是惠祖說的嗎？」

「你別怪姐，我們適才方問她爲什麼不定期報道弟弟行踪。」

承祖相信姐姐不會出賣他。

「承祖，找朋友還是同年齡的好。」

承祖否認說：「我不過是打暑期工。」

「美國那邊已經有消息了。」

「我不想南下。」

「承祖，父母從來不會逼你做任何事，可是學業重要，希望你到仙打巴巴拉去。」

承祖黯然。

「惠祖會替你付註册費及學費。」

屆時他將住在宿舍裏。

承祖吁出一口氣。

「父母一直很少干涉你的自由，這你是知道的。」

「是，我十分感激。」

談話中止。

承祖爲此納悶許久。

他當然不捨得，年輕的他想過違抗父母命令，離家出走，跟着她走到天涯海角。

可是，她的孩子呢？

孩子總需要上學以及過正常生活。
他與她的開銷呢，都叫她付不成？
日子久了，他會成爲她的小玩意，當他不再年輕活潑可愛，她會唾棄他。
不不不，不可以在生活上倚賴任何人，尤其是一名女子。
他會去繼續學業，三年之後畢了業找到工作，他會再來找她。
三年不是太長的一段時間。
承祖胡思亂想，思潮扯到老遠。
她同他說：「我們一家三口帶褓姆一同坐船去遊覽阿拉斯加，可否邀請你一起？」
承祖微笑，「如果我自己繳付費用的話。」
她也笑，「可以呀，沒問題。」
惠姐知道這件事後，只是輕輕說：「也好，當你中年之際，想起這次旅行，想必溫馨。」
承祖也明白，這其實是他的初戀，他自己也爲之惻然。
在遊輪甲板上，他與她觀看鯨魚羣飛躍噴水。

雪白壯觀的冰川叫他們心曠神怡。

一日下午，他替她到酒吧去取飲料，一位同船的銀髮老人家和藹地同他說：「那是你媽媽嗎，你眞孝順。」

承祖怔住，立刻說，「不，那是我姐姐。」

老婦不大相信，「年紀差好多。」

眞多事。

承祖很不開心，他一點也不覺得她老。

他只覺得她秀麗、溫柔、體貼。

被同船老婦一提醒，他驀然醒覺，他看她，同世人看她，也許有個距離。

不管他願意與否，旅遊很快結束，他們都得回家。

父母在家等他。

一字不提，只說來替他準備行李，並且送他入學。

一邊教訓惠祖，其實是說給承祖聽：「人是有名譽的，世俗許多想法，仍須尊重。」

惠祖奇說：「媽，我沒幹什麼呀。」

「你且聽着，總不會錯。」

承祖只是笑。

周末，他們到仙打巴巴拉去了一次。

那地方有沙漠風味，原野與公路是紅褐色的，處處見高大仙人掌，可是城內設施齊備。

承祖一直很沉默。

惠祖說：「女同學多漂亮。」

他們探訪過大學宿舍，母親說：「如覺得悶，放假可以隨時回家。」

父母對他的慷慨，也眞的難得，作爲人子，無以爲報。

承祖忽然輕輕吟道：「可憐寸草心，難報三春暉。」

母親很感動，「承祖，你眞的那麼想？」

母子擁抱。

該刹那，承祖的理智戰勝了私慾。

回家他抽時間出來陪母親訪友購物。
他做母親司機。
母親最愛感慨，「承祖小時最怕寂寞，四五歲時坐在門口流淚，抱怨沒人陪他玩，說：『醫院裏那麼多嬰兒，爲什麼不抱幾個回家陪我』。」
大家聽到往事，都笑了。
惠祖說：「我已經時時陪着他。」
可是她比弟弟大五歲，那時只當他是嬰兒。
暑假已幾乎過去。
承祖送走父母，看到園子第一片落葉。
他曾經透露將往美國升學，她只是說：「大家都會想念你。」依依不捨。
如今眞的要走了。
一早，他帶着一束小小紫色的毋忘我，去探訪她。
她有孩子，起得特別早，他替她買了中文報紙。
那個早上，承祖記得很清楚，天下微雨，濡濕憂鬱。

姐姐老說這種天氣像煞英國。

承祖拉一拉衣襟，一雨就成秋了，無限秋思，下星期他就要起程南下，要待長週末才可返來看她。

這次特地前來話別。

到了宋宅，他把車停好。

忽然看到大門打開。

呵一定是聽到他汽車引擎聲故而開門。

他抬起頭。

不，不是爲他。

承祖看到女主人送客人出來。

他年輕高大英俊，穿着西裝，像是去上班，她披着絲絨浴袍，頭髮蓬鬆，可是神情不失愉快。

他們都沒有看見他。

兩人在門前竊竊私語，然後他走下石級，她輕輕掩上門。

這一切都落在承祖眼中，他怔住了。

奇是奇在沒有人看見那麼大一輛車子停在門口。

承祖要隔很久很久，才能稍微壓抑震盪驚訝之情，接着，他有被傷害的感覺。

這麼快便找到另外一個人了。

可是，他能怪她嗎，當然不能夠，是他先告訴她，他要到美國讀書。

而且，一開始的時候，就已經知道，二人沒可能長遠在一起。

這時雨下得十分急。

他開動水撥，它們空洞而寂寥地擺動了幾下。

承祖輕輕駕車離去。

回到家，他取出那束毋忘我，放在一隻小小水晶瓶子裏。

空氣清冽而帶寒意。

暑假過去了。

賭注

鄧正偉額角冒着汗，手上拿着一副牌，故作鎮靜。

對手劉立成心中暗暗歎氣，姿勢這樣難看，贏了也等於輸了。

本來賭桌上有五個人，現在都已退出，在一旁看他們下注。

他們賭的牌，俗稱沙蟹。

劉立成不認識鄧正偉，是一個朋友的朋友把他帶來，劉立成好客，最近做電腦生意頗賺了一點錢，時時在寬敞的家裏招待客人。

可是，從來沒有見過像鄧正偉賭品那樣壞的人。

贏一點點，趾高氣揚，囂張萬分，似要全桌人拜服讚美，輸一點點，又垂頭喪氣，十分沮喪，最好有人安慰。

如此膚淺！

而且賭注落得那麼大。

這時劉立成手上已有一對十。

不一定贏，可是也不一定輸，還有兩隻牌未發下來。

而鄧正偉在這個晚上，已經輸了近二十萬元。

作爲主人家，劉立成說：「這是最後一鋪，然後，我們該吃飯了。」

牌發下來，鄧氏面前是一對皮蛋。

他意氣風發，掏出一條車匙，「我加注。」

劉立成有點討厭他，故輕輕說：「我從來不用二手車。」

圍觀的幾個人都笑了。

劉立成的牌下來，又是一隻十。

劉立成幾乎已立於不敗之地。

他說：「看你的了。」

鄧氏只得一隻六。

而劉立成取得一隻老K。

他把面前籌碼推出，約莫值五萬元。

他不想再玩下去，故把牌掀開。

那鄧某人冷汗涔涔而下。

劉立成把車匙還給他，笑笑說：「吃飯了。」

外頭已擺下豐富的自助餐。

很多客人他都不認識，自從愛妻病逝之後，劉立成深覺寂寞，故時常在家搞聚會，任由朋友携他們的朋友出入。

大家都知道劉家幾乎每晚都有香檳招待。

劉立成走到露台去。

他對着海景，忽然深深歎息一下。

身後傳來一把小小聲音，「贏了還是輸了？」

他沒轉過頭去看是誰，低下頭，笑，「我怎麼好意思贏客人的錢。」

「你是一個慷慨的主人。」

聽語氣，已覺有點風塵，劉立成頗喜歡成熟的女子，她們有風韻，老練，不輕易撒

嬌，把脾氣收斂得很好，與她們相處，一定愉快。

他覺得她就站在他身後。

「這是一座美麗的別墅。」

「謝謝你。」

「聽說女主人已不在世上。」

「是。」

「世事古難全。」

劉立成仍然沒有回過頭去。

這名女子聲音柔美溫馨，可是清甜的嗓音後似帶淒愴，使他神往。

他不敢轉過頭去，怕她長得不美，又怕她長得太美，可是已經老了。

他問：「你跟朋友同來？」

「是。」

「已經深夜，早些回家的好。」

「人在江湖，身不由己。」她輕笑。

他猜得不錯，她果然是一個出來找生活的女子，換言之，她父親不能照顧她，她的伴侶也不見得有能力。

對劉立成來說，所有女子都應該被呵護，同女人爭、佔女人便宜，是十分卑賤行爲，至於傷害女子心靈肉體，更罪無可恕。

他忍不住回過頭去。

可是身後已空，那個女郎已不知在什麼時候離去。

劉立成有點後悔，爲什麼一聽到她聲音之際不立刻轉過頭來？

他喝盡手上的酒，回到客廳。

客人已陸續離去。

有人問他：「泳池幾時開放？」

他笑，「你們說幾時？」

有女客嬌俏地說：「明晚。」

「我馬上叫人準備。」

「今日魚子醬供應不足。」

「我會告訴厨房。」

「有時累了，眞希望可以睡在客房中，明天再玩。」

劉立成只得笑，「太賞臉了。」

過了這一季，他也想靜一靜，欲躲往倫敦住個把月，逛逛書店與美術館。

有人叫住他。

他轉過頭去。

是鄧正偉。

劉立成覺得奇怪，還有什麼事？

「劉先生，我想與你再賭一記。」

「不，」劉立成即時拒絕，「牌局已經結束。」

這個人長得英俊高大，性情爲何如此討厭？

鄧正偉凝視他，「你是怕好運已經結束？」

劉立成說：「鄧先生，此處並非賭館，這裏是我的家。」

鄧正偉笑，「你沒膽子就算了。」

劉立成絲毫不理他的激將法，「你說得對，我沒有膽子得罪客人。」

心想，鄧兄，放了你一馬你爲何尚不知進退？

他想送走這名惡客。

誰知鄧正偉仍不放鬆，作最後努力：「我願拿我今日身邊所有，來同你賭最後一記。」

劉立成看著他，「你想贏什麼？」

「贏威風。」

「你想清楚了？」

「是。」

劉立成說：「萬一輸了，你的車你的現款你的衣服，可統統都得留下。」

「我明白，」鄧正偉說：「可是我贏了的話，我會向通江湖宣揚我贏了你。」

劉立成笑，「可是，我並不認識全江湖人。」

「對我來說，已經足夠。」

劉立成想了想，「不，我對你全身上下物品一點興趣也無。」

誰知鄧正偉立刻說：「我還有個女朋友。」

劉立成一怔，「什麼？」

「我的女友亦是賭注。」

劉立成不相信雙耳，太可怕了，簡直卑鄙下流。

「你且看看，她長得不錯。」

劉立成緩緩地說：「鄧先生，女朋友不是這樣用的。」

鄧正偉冷冷回答：「養兵千日，用在一朝。」

劉立成問：「爲什麼那樣絕望地想贏我？」

「你在商場及牌桌上都有常勝將軍之稱。」

劉立成笑笑，「鄧先生，再見。」

他欲撇下這個討厭的人，一轉頭，看到一個女郎向他們走來。

只聽得鄧正偉說：「走吧，盈盈。」

那女郎輕輕答：「是。」

劉立成立刻抬起頭來，他渾身一震，他認得這把聲音，柔美清甜，可是背後似有不

可告人的淒酸，實在動人。

是她。

只見她皮膚白皙，顏容秀麗，身段高佻，只穿一件簡單黑色吊帶裙，渾身並無其他裝飾，實在是個可人兒。

可是，她分明跟着鄧正偉這個猥瑣的人過活。

可惜。

劉立成猶疑一刻。

他同自己說：劉某，不管你的事，切莫多事，放這個人走，從此永不見面。

可是這一刹那他無法控制自己。

他聽見他自己說：「鄧先生，請留步。」

那鄧正偉即時得意洋洋地笑，「你可是回心轉意了。」

是，他決定打救這個女子。

他點點頭，「請到我書房來。」

「盈盈，跟着劉先生走。」

客人已散得七七八八。

劉立成延客人進書房。

他不明白女郎爲何如此馴服溫柔。

她欠他什麼？

爲何隨他擺佈？

他掩上門。

書房佈置華麗別致，是一個獨立天地。

門一關上，裏頭便一片靜寂，看來有上佳的隔音設備。

連那鄧正偉都說：「劉先生，你眞懂得享受。」

劉立成連忙欠欠身。

「府上一定有新樸克牌。」

劉立成打開抽屜，取出一副新牌，放在書桌上。

他走到小型酒吧前，斟出一杯拔蘭地，「兩位喝什麼？」

可是鄧正偉急不及待，已脫下身上的手錶戒指項鍊，掏出車匙，大聲說：「連盈盈

在內，賭這一鋪。」

劉立成看着他，只覺可笑。

原本，他眞不會同這種人計較，可是今晚，他別有任務在身。

他溫和地說：「別的都拿回去，不過，要是你輸了，以後盈盈就不認得你。」

那女郎白皙的臉本無一絲表情，但是聽了這話，她雙目閃了一閃。

「她欠我許多錢。」

「一筆勾銷。」

「好，」鄧正偉說：「不過你要是輸了，莫怪我在衆人面前恥笑你。」

劉立成笑，「鄧先生，我有種感覺，你好似不大喜歡我。」

鄧正偉承認：「我覺得你這種有父蔭有學歷，世界任你予取予携的人最可惡不過。」

劉立成大奇，「你聽誰說我有父蔭？」

「你父親不是鼎鼎大名的劉頌伯嗎？」

劉立成答：「我母並非正室，並且失寵已久，我完全憑自己能力創業，信不信由

你。」

女郎本來似瓷像般端坐一邊，此時，肩膀動了一動。

鄧正偉也一呆，可是他即時取過新牌，抽出，順手洗了幾次，啪一聲放回桌上。

劉立成說：「這樣吧。」

「請說。」

「你不過是想我難看，不如速戰速決，一人抽一張牌，誰大誰就贏。」

鄧正偉愣住，「那豈非毫無技巧可言？」

劉立成笑，「賭博純講運氣，哪有技巧可言。」

「誰先抽？」

「讓我們擲骰？」

劉立成又取出一副十分考究的西洋骰子，在皮製小桶內搖兩搖，倒出來，只得五點。

鄧正偉卻只得四點。

劉立成站起來，雙眼湛出精光，「看仔細了，我先取牌。」

他自牌中央抽出一張，翻開放下，一看，是張黑桃愛司。

那正是成疊牌中至大的一張，對手根本不用再抽牌比試。

劉立成聽到盈盈嗯地一聲。

鄧正偉是個輸不起的人，可是越是這種人，越是要假裝豪爽瀟灑。

他臉色灰敗，大聲說：「輸了。」

劉立成豎起大拇指，「願賭服輸，好。」

鄧正偉看也不看他帶來的女朋友，取過外套就去打開書房門，拂袖而去。

女郎仍然坐在一角，動也不動。

過了相當長一段時間，書房內靜寂萬分，一男一女都沒有話說。

終於，佣人上來敲門，「劉先生，客人已經散清。」

劉立成吩咐道：「你們收拾地方吧。」

「是，劉先生。」

老佣人十分含蓄，視線並未接觸女客。

從頭到尾，這個風塵女子，好像不存在似的，人人輕視她，當她透明。

佣人下去後，劉立成咳嗽一聲。

那女郎笑了一笑。

花般容貌，卻誤墮風塵。

劉立成爲之惻然，口裏卻只是說：「今日，我取到一副好牌。」

他把那副牌逐張揭開，一隻隻，統統是黑桃愛司。

他笑說：「這是一副廉價魔術牌，想不到幫我贏了一手。」

女郎但笑不語。

劉立成問她：「你一早就看出來了吧？」

女郎仍然沉默，可是她的眼睛說是。

「出老千，眞是不道德行爲。」

女郎看着他。

「可是對付那樣猥瑣的一個人，又叫我高興。」

女郎低下了頭。

「以後，你同他不再有任何轇轕。」

「謝謝你。」她低聲說。

三個字後無比蒼涼。

「有無時間把你的故事告訴我？」

女郎無奈，「你又可有六個鐘頭？」

劉立成攤攤手，「夜未央。」

佣人捧進來宵夜，兩隻碗，兩副筷，可是，仍然裝作看不見客人。

劉立成說：「先吃點東西。」

女郎說：「我不餓。」

劉立成笑笑，「你放心，我雖不是君子人，可是也不會欺侮女人，你隨時可以走。」

女郎問：「眞的？」

「回家去，好好做人。」

女郎笑了，像是不相信這世上會有如此老土的好人。

她說：「此刻我又覺得有胃口。」

她取起麵碗，一下子把雞絲麵吃得一乾二淨。

然後，她坐下來，伸個懶腰，輕輕說：「這下子，我又不願走了。」

劉立成歎口氣，「你看你，好好一個女孩，竟淪落到被人當賭注。」

女郎甚有愧意。

「別告訴我是爲着父親早去，母親重病，而弟妹又嗷嗷待哺的緣故。」

她看着窗外。

「也別告訴我是爲着想穿得更好吃得更好。」

女郎微笑，「我有種感覺，你會比其他人更難侍候。」

劉立成迅速答：「那當然，我尙有誠意。」

「贏我過來，倒底是爲什麼？」

「我喜歡你，覺得你不應跟着鄧某那種人混飯吃。」

「世上有千千萬萬的鄧某人，我們不過自一個鄧氏的手，再傳到另一個鄧氏的手去。」

「你不考慮改變生活方式？」

女郎笑，「感化官，談何容易。」

劉立成看着她。

「你看，我們在太陽落山後才開始工作，凌晨休息，每天工作六七個小時，收入豐厚，小帳數目驚人，如何轉行？」

劉立成說：「可是，你得出賣靈魂。」

女郎噓一聲，笑笑說：「一個人只能賣他所有的東西，不過，你可別說出去，他們以爲我有靈魂，其實沒有。」

劉立成搖搖頭。

女郎問：「不相信？」

劉立成答：「你不但有靈魂，且有一個非常傷感的靈魂。」

女郎愣住，緩緩轉過頭去，低下頭，露出雪白的頸項。

劉立成歎口氣，「盈盈，回頭是岸。」

他拉開抽屜，取出支票部，寫了張支票。

「給你，學一門手藝，做點小生意。」

盈盈過去，取過支票，一看數目，怔住，接着，她輕輕說：「我不要。」

劉立成揚起一條眉毛，「什麼？」

「無功不受祿。」

「你有功，剛才，多謝你沒拆穿我的西洋鏡。」

「爲什麼無緣無故對我那麼好？」

「並非沒有原因。」

「告訴我。」

「我妻子去世之前，患病已有一段時間，明知不治，卻強自振作，她的聲音非常像你，清甜自然，但背後隱着淒酸。」

「啊。」

「有兩句詩，不知你有否聽過：記得綠羅裙，處處憐芳草。」

盈盈衝口而出，「所以你同情我。」

劉立成把支票放進她銀色小手袋中，「別叫我失望。」

「我可以隨時走出這間房間？」

「當然。」

「世上彷彿許久沒有發生這樣好的事了。」

她淚盈於睫。

劉立成送她下樓去，叫司機把她載返家中。

上了車，已駛出去十來公尺，忽然車子又停下來，車窗降下，她探出頭來，

劉立成步向前，聽她有什麼話說。

只聽得她誠懇地說：「我祝福你，劉先生。」

劉立成頷首，車子漸漸遠去。

故事說到這裏，好像該結束了，只有在故事中，活生生的賭注，才有這樣好的下場。

但是生活必需繼續。

劉立成搞了一個盛大的告別聚會，邀請近五百位賓客，開開心心玩了一個通宵，到了翌日中午，還有醉酒的客人自客房出來問要濃茶。

可是最終有聚必有散，客人統統離去，劉立成令所有佣人放假，重新裝修大宅，他

孑然一人，到倫敦去了。

許多親友都想爲他介紹對象，他溫和地婉拒。

他只想清靜。

這些年來，關於他感情生活的謠傳也很多，劉立成的名譽並非上佳。

許多名門淑女一聽這三個字說不定就害怕，他也無謂去做社交圈的新話柄。

他逛了一間書店又一間，喜歡蹭博物館，倦了找一間小食店塡飽肚子，膩了便到巴黎玩數日。

這樣，他竟在歐洲躭了下來，樂不思蜀，留着鬍髭，穿便衣，女伴不是金髮就是紅髮，晃眼便半年過去，不思歸。

公司其他拍檔開始催他回去。

追得緊了，他索性表演失踪。

可是電話錄音機裏留着一個訊息：「劉立成，我們需要你，請速現身，半年療傷期對現代人來說已是奢侈，你的夥伴戚成義。」

聽到這樣的懇求，劉立成忽然覺得自己不合理之至，歉甚，終於決定告別流浪生

涯。

他打算在周末返去。

星期五上午，他到相熟的書店去取訂書。

拿到那本十九世紀末期初版狄更斯的塊肉餘生，他站在店堂欣賞了一會兒。

冷不防吸引了一個人的注意力。

「能給我看看嗎？」

一抬頭，他便知道是她了。

秀麗的面孔，文靜名貴的衣着，與他有一般嗜好，她叫王唯綺，廿七歲，是位建築師，承繼父業，在倫敦擁有一爿小小建築公司。

他們到茶座去談了一個下午，說到最後，劉立成遺憾地說：「可惜我明天便要走了。」

「去何處？」

「香港。」

「哎呀，我也是明天去香港。」

而且是同一班飛機，這樣的巧合，叫做緣份。

故事到這個階段，眞的應該結束了，好心人有好報，應了盈盈對劉立成的祝福。

又過了半年，他倆在香港結婚。

婚禮非常簡單，連酒會也不設，註册、蜜月，然後開始養兒育女的大計。

劉太太在懷孕時口味刁鑽，喜歡吃各式各樣甜品，否則就情願捱餓。

劉立成只得與司機二人挖空心思尋幽探秘。

「有一家小小專門甜品店裏的自製芒果冰淇淋簡直一流。」

「還等什麼？馬上去。」

司機把車停在横巷，他們兩夫妻一進甜品店，就知道找對了地方。

那小小的店面洋溢着一股甜香，劉太太興奮地買了十來種不同點心，劉立成一直笑問：「你怎麼吃得了那麼多？」

然後，老闆娘出來了，她笑笑說：「劉先生，今日我請客。」

劉立成一抬頭，看到了一張熟悉的面孔，笑意盈盈，一雙美目情深款款。

呵，別來無恙乎。

劉立成心底無限寬慰，她倒底從新站起來了。

劉太太訝異，「原來是朋友。」

老闆娘連忙說：「劉先生在生意上幫過我好大一個忙，以後來吃甜品，無論如何不可收他費用。」

「那怎麼可以，你是開門做生意的呀。」

「託賴，小店生意不錯，小店請得起。」

劉立成一直頷首。

臨走，才發覺店名叫成功，看來，也是爲了紀念劉立成。

回家途中，劉太太說，「我竟不知你有那麼可愛的朋友。」

「許久沒見面，看見她生意成功，非常替她高興。」

「你幫過她什麼忙？」

「不足掛齒。」

「嗯，你猜，我該先吃哪一隻冰淇淋？」

「櫻桃，粉紅色，多漂亮。」

憧憬

彭玉嬋是光明日報記者，年輕有爲，上任不到三年，已薄有名聲。

她擅長寫訪問。

寫訪問其實有一個秘訣。

玉嬋這樣同師弟師妹說：「訪問，分兩種。」

大家等着聽是哪兩種。

玉嬋笑一笑，說下去：「一種，是好看的訪問，另一種，是不好看的訪問。」

大家都笑。

「不好看的訪問，通常只是有聞必錄，對方說什麼，你寫什麼，白白變成他人宣傳工具，故不好看。」

那，什麼是好看的訪問？

「懂得發掘讀者有興趣的問題，加以冷眼旁觀，探索事主的內心世界，綜合成文，一定會受歡迎。」

大家都點頭稱是。

理論是這樣說，可是彭玉嬋也常常遭滑鐵盧。

被訪者很少肯把心事攤開來放桌上與記者共享，即使願意接受訪問，也不過是說些門面話。

玉嬋一次去訪問著名作家。

她問：「寫作是否清苦行業。」

大作家笑答：「也不算太差。」

「可否具體說一說，閣下年薪多少？」

大作家說：「我的收入不能作爲代表。」

「可否透露一二？」

他無論如何不肯，「讀書人不宜說錢。」

玉嬋徒呼荷荷，只得去做調查，可惜出版社與報館亦不願透露端倪，她只能做了一

個十分約莫的估計。

謙虛是美德，可是有時被訪者連生活是否快樂都不願承認。

一位證券界女名人只肯說：「我不是不快樂。」

記者不易為，可見一斑。

玉嬋最新任務，是要去訪問李日虹，她是顯澤機構的承繼人，身世特別。

李顯澤是商界名人，一直沒有透露有這個女兒，她一直住在英國約克郡，直到最近這幾年。

傳說中她是私生女。

李顯澤一直到患上癌症才召她返來承繼事業。

李日虹年紀不大，相貌清秀，自然成為記者訪問的好對象。

可是她不接受中文傳媒訪問。

有什麼話，只同時代週刊及新聞週刊說。

這種作風當然引起本地傳媒不滿。

經過顯澤機構的公共關係再三指引勸導，她總算願意同中文報章對話。

不過有一個條件。

先得把問題給她看過，訪問時間不超過三十分鐘，還有，訪問寫成後得給她過目。經她通過，才能刊登。

玉嬋聽到這樣的條件，不禁轟然大笑。

「簡直是挑戰我們的智慧。」

同事吳志光也說：「可不是，不如叫閣下公關組寫好了宣傳稿每間報館派一份。」

玉嬋反問：「你有無聽說過，當年某作家宣傳新作的伎倆？」

「余生也晚，錯過了盛事，你倒說來聽聽。」

「他叫熟人來開座談會，討論他的新作，然後把會談記錄下來，拿到相熟的週刊去登。」

吳志光嗤一聲笑出來。

「本來人家也預備遷就，誰知他還嫌寫得不夠好，讚得不夠美，竟把原稿取回親手再改，編輯部終於發奮圖強，推說稿件遺失，不肯再登。」

「好，有志氣。」

「是，我也那麼想，據說稿件由雜誌老闆親手交到編輯部，以爲以上壓下，必登無疑。」

吳志光有一個問題：「爲什麼一個人，會那麼不擇手段地希望出名？」

玉嬋聳聳肩，「我不知道，名利名利，也許名來了，利也會接踵而至。」

「爲什麼不好好苦幹，名至實歸？」

「咄，那需要多長一段時間！」

吳志光頷首，「是，都來不及要快快快。」

「一夜成名，多過癮。」

「老總叫你去訪問李日虹哩。」

「試同她講講條件。」

「沒可能。」

「硬碰硬，恐怕做不成訪問。」

「白便宜了別家報館。」

總編輯陳昌禎這時進來說：「玉嬋，都依了她吧，總算是中文傳媒中第一訪問李日

虹的人。」

「我不稀罕。」

「牛脾氣。」

下午，玉嬋與顯澤機構公關部討價還價。

對方十分客氣，但是不住重複，條件就是如此，訪不訪問在你。

「哪，」玉嬋歎口氣，「我把問題傳眞過來。」

「問題不要超過十條。」

玉嬋生氣，「我只有一個問題。」

「請說。」

「中國人爲什麼如此難爲中文傳媒。」

「……」

「請儘快答覆。」

玉嬋啪一聲扔下電話。

原以爲沒有希望了。

可是一日之後，顯澤機構有人找彭玉嬋小姐。

「彭小姐？我是李小姐私人秘書鄧青雲，我們的公關組也太不會說話了，現在由我向你正式致歉。」

玉嬋心中好不奇怪，「不不不，你們太擅詞令才真。」

那位鄧先生笑，「可是巧言令色鮮矣仁？」

玉嬋聽到這種似是而非的形容不覺笑出來，這種讀英文寫英文講中文的人常犯類似毛病。

「彭小姐，我們再商量一下如何？我久聞大名，如雷貫耳。」

「我需要較多時間。」

「李小姐至多只能撥出一小時。」

「我想在現場問問題。」

「李小姐實在不希望有太多意外的驚喜。」

「我至多不問她貴庚。」

「彭小姐，你何必存心刁難。」

「鄧先生，記者並非刁徒。」

「那麼，一小時，十個問題，可拍照，下星期三下午七至八時，在顯澤機構會議室舉行，你說如何？」

這時，玉嬋也想交差算數，「好好好。」

一份工作耳，何用仆心仆命？

「你彷彿氣餒。」

玉嬋呵呵笑，「會嗎，你太小覷我了。」

李日虹眞是一個乏味的女子，商場中人想必往往如是，成日價鑽錢眼。

接着幾天，顯澤機構不住要求玉嬋交上問題。

玉嬋不去理會。

屆時，自顧自赴約，如果見不到，也就拉倒。

她準時抵達顯澤大厦。

一到十一樓即有人迎出來，「彭小姐，我即是鄧青雲。」

是一位高大英俊雙眼會笑的年輕人。

「李小姐呢。」

「已經在會議室等你。」

玉嬋一怔，「這麼準時？」

「請跟我來。」

會議室門打開，玉嬋先看到一組十分舒適的沙發，接着一位妙齡女子穿着黑色塔夫綢晚裝長裙笑臉迎人地走過來。

她戴着適量鑽飾，更襯托得膚光如雪，雙目如星。

「彭小姐嗎，我是李日虹。」

玉嬋沒想到她是個美女。

或者這是她的地頭，她又剛好精細地打扮過，心情又不壞，故此看上去特別漂亮，要是她也似彭玉嬋那樣每日工作十二小時，舟車勞頓為一個題目抓破了頭皮，姿色一定稍遜。

這個社會一向是富者愈富。

「請坐，我穿晚裝是因為一會兒要赴宴。」

隨即有人捧着茶點進來。

玉嬋正好餓了，一張臉幾乎沒埋進雪白的椰子奶油蛋糕裏去。

這時，鄧青雲已輕輕退出，關上私人會議室雙門。

李日虹不打算拖延時間，「請你開始訪問。」

玉嬋老實不客氣地邊吃邊問：「世人對你至大誤解是什麼？」

李日虹一怔，眞沒想到這個短髮圓臉的姑娘一上來就問一個這樣直截了當的問題。

可是她慣於接受訪問，知道這個問題會幫她伸怨。

她坐了下來，裙裾悉悉索索。

玉嬋看到她腳下是一雙像芭蕾舞鞋似的平跟鞋。

李日虹想了想，「至大的誤解是我靠父親的餘蔭度日，世上一切得來全不費工夫。」

玉嬋不慌不忙地問答：「不是嗎？」

「不，我在廿二歲之前，根本沒見過父親。」

玉嬋笑笑給她接上去，「可是他的杖，他的桿，都領導你。」

「他只支付我生活費及學費，我是一個寂寞的孤兒，我在校成績優異，生活檢點，

全屬自身努力。」

這是眞的。

家境富裕而讀書不爭氣生活糜爛的子弟是極多的。

玉嬋頷首表示讚同。

李日虹鬆一口氣，「我也不知道爲何對你說實話，如果有外國記者問我，我一定回答：『可是，外界一切誤解並不構成任何影響』。」

玉嬋笑笑，她喝完一大杯咖啡，再斟一杯。

簡直爲老實不客氣現身說法。

玉嬋輕聲問：「那些舞會，十分無聊吧。」

李日虹也笑，「當然，所以叫舞會，不叫會議。」

「爲什麼去？」

「應酬。」

「社會上許多眞正辦事的人從來不去那些地方。」

「我會考慮你的意見。」

「不過，李小姐，我必須承認，你穿上這一襲裙子，比任何一位名媛都漂亮。」

「謝謝你。」

「問題第二條。」

「不，已經第五條了。」

玉嬋一怔，「那些不算。」

「怎麼不算，別爭了，二十分鐘已經過去了。」

「好，你有無遺憾？」

李日虹一愣，抬起頭，手托着下巴，左手無名指上戴着一枚碩大的方鑽，閃閃生光，她臉上露出複雜的神情來，終於，輕輕歎口氣。

玉嬋十分渴望知道答案，向前探了探身子。

李日虹終於回答了：「有，我所愛的人不愛我，愛我的人不是我所愛。」

玉嬋衝口而出：「什麼，不是收購和氏大厦失敗鎩羽嗎？」

李日虹頓覺詫異，「當然不是，商業行動，有得有失，至多下次再來。」

「講得太好了，可是，你愛的人是誰，你不愛的人又是誰？」

「他們都有家庭有工作，我不便把他們的名字說出來。」

玉嬋失望。

可是，也屬意料中事。

有誰會拒絕這樣秀麗端莊的富女。

「李小姐，你有什麼憧憬。」

李日虹低下頭。

她考慮了很久，反問：「憧憬二字何解？」

玉嬋笑，倒底自幼在外國長大。

她為她解釋：「盼望，希望得到。」

「啊。」

玉嬋催她：「可以說給我聽聽嗎？」

「從來沒有人問過這個問題。」

「是，因為你那樣成功，要風得風，要雨得雨，還有什麼好憧憬的。」

李日虹忽然這樣說：「今年夏季，我返回約克郡老家度假。」

玉嬋想：呵，講起故事來了，正中下懷。

「老屋有一個馬廐，一直由史蔑夫打理，他有一獨子，約十八九歲，放假就到我家幫忙打雜。」

咦，這同富女的憧憬有何關連。

「那青年高大英俊，不修邊幅，不擅詞令，全不受商業社會污染，大家都喜歡他。」

她深深歎口氣。

噫，莫非——

「一日，我策騎返來，看到他在馬廐洗馬，一年輕佣婦正替他挽水過來，二人談笑，忽然他拿起水潑向那女子，那女子也用水潑他，二人渾身盡濕，卻毫不介意，繼續在明媚的日光下嬉戲。」

玉嬋不禁入神。

「二人眼中都有盎然的慾念，可是，我絲毫不覺猥瑣，那根本是人的天性之一，不用排斥壓抑，可是，在這個時候，他們看到了馬上的我，女佣隨即走開，他過來幫我牽

馬。」

「你驚破了好事，不過不怕，有的是機會。」

「彭小姐，那樣自然單純，毫無矯情，絕無企圖的男歡女愛，正是我畢生的憧憬。」

玉嬋聳然動容。

夠了，已經夠材料交差。

李日虹的表達能力十分強，她把她的心意交待得一清二楚。

「李小姐，這出奇的坦白——」

她笑，「我很慶幸今日的我已不必凡事支吾以對。」

說得好。

玉嬋取出照相機，替李日虹拍下一連串照片。

她反問記者：「我的憧憬，會有一日實現嗎？」

玉嬋停止按快門，「不，李小姐，恐怕永無實現之日。」

「爲什麼？」

「你身份太矜貴，生活太複雜，每一個接近你的人對你都有所企圖，怎麼可能得到單純的感情。」

李日虹坐下來，神情有點憔悴。

「最後一個問題：你有何失敗之處。」

她苦笑，「你有無六個小時？」

玉嬋微笑，「李小姐大可長話短說。」

「家母已經去世，我最失敗是不在她在生之際好好與她相處。」

玉嬋怪同情，「孝順的女子通常會這麼想。」

「什麼，我以為不孝才會產生懺悔。」

玉嬋笑，「不孝，根本心中沒有父母，又怎麼會後悔？」

「啊。」李日虹像是剛剛弄清楚這一點。

時間到了。

玉嬋站起來告辭。

「彭小姐，貴報有你那樣出色的人才一定會有前途。」

「嘩，這話眞應對我老闆說。」

玉嬋甫走近門口，已經有人替她開門。

門外，正是鄧青雲，原來這段時間，他一直在外頭默默守候。

看樣子做私人秘書也全然沒有下班的時間。

他送玉嬋到電梯口。

「請回。」

「時間不早了，請乘我們準備的車子回府。」

「我回報館。」

「沒有問題。」

他同她走到門口。

玉嬋那記者本色又發作了。

她問：「你在顯澤做了多久。」

「三年。」

「一直跟着李小姐？」

他點頭。

這時，一輛黑色大轎車駛過來。

鄧青雲替玉嬋拉開車門，一連串動作配合得天衣無縫，玉嬋只覺得他懂得禮貌，願意使訪者得到最佳待遇，但一點不覺得他卑恭屈膝。

找得到這樣的夥計，實在難得。

車子一直把她載返報館。

訪問稿寫出來，吳志光頭一個看到。

「她眞的對你那樣說？」

「是。」

「嘩，有看頭，沒想到富女的意願如此簡單。」

「可以想像，她所有的追求者讀後會得瞠目結舌。」

「也就是俗稱跌眼鏡了。」

第二天，玉嬋與鄧青雲通了一次電話。

他聲音爽朗，叫人一聽便有無限好感。

「李小姐到紐約去了。」

「我那篇訪問稿在付印之前想請她過目。」

「李小姐已吩咐過我，她說不必了，彭小姐一定會幫她寫得很好。」

玉嬋一怔。

這樣信任，更加不易做，她又自我審核一遍，把略爲尖刻的字眼刪除。

總編輯老陳看過，好不詫異，「眞奇怪，與她平時形象大大不同。」

玉嬋微微笑。

「寫得好極了。」

玉嬋說：「功不在我，要是當事人不合作，我怎麼寫，由此可知，寫得再辛苦，也不是我的功勞。」

「好像很有感慨。」

「是，我打算創作小說。」

「李日虹眞的比較像小說人物。」

眞沒想到她有一顆那樣天眞的心。

下班，玉嬋逛馬路。

她喜歡看衆生相，一路觀人。

一個年輕人站在地車站等朋友，神情有點焦急，忽然之間，他雙眼亮起，人來了。

少女急急奔過來，他立刻笑，一臉歡容，身上每個細胞都歡暢的樣子。

他倆輕輕擁抱。

玉嬋在一旁怔怔地看着。

如此單純的男歡女愛，對彭玉嬋來說，何嘗不是一種憧憬。

她也嚮往呀。

半晌，人家肩摟肩的離去，玉嬋才買了幾份雜誌，打道回府。

訪問出來了，讀者紛紛致電編輯部，表示激賞。

「李日虹回來沒有？」吳志光問。

玉嬋撥電話到顯澤機構，那邊答：「李小姐尚未回來。」

「那麼，請替我接鄧青雲。」

「鄧先生放假，我幫你接到他助手處。」

那助手一般精乖伶俐，「彭小姐，幸會，鄧青雲到紐約去了。」

玉嬋的心一動。

「有無說幾時回來？」

「好像是一兩個星期。」

「是與李小姐會合嗎？」

「這我就不清楚了。」打個哈哈。

「謝謝你。」

「不客氣，彭小姐有何事儘管與我聯絡，我叫陳日良。」

玉嬋掛上電話。

一起到外國去了。

在這裏，她在上，他在下，是賓主關係，到了外頭，兩個都是年輕人。一定可以發現許多共同點。

許多女性都認爲找對象講條件，男方必需能夠照顧她，呵護她，學識經濟情況都比她好，使她一生都有安全感。

這眞是苛求，也無此必要，人最好妥善照顧自己，那樣，才可放心出去談戀愛。

不知李日虹與鄧青雲之間可會產生些什麼。

過了一段日子，玉嬋自採訪組退下來，她決定創作一個長篇。

篇名就叫憧憬。

她在等待結局出現。

不到三個月，報章財經版刊出消息，顯澤機構李日虹辭去職務，宣佈退休。

玉嬋立刻撥電話給陳日良。

陳君說：「李小姐現在溫哥華。」

「那麼，鄧青雲呢？」

陳君答：「鄧先生已經辭職，我代替他的位置。」

「恭喜你，陞職了。」

「託賴。」言語間十分親切。

可是其實他們沒有見過面。

雙方有一剎那沉默。

然後，陳日良輕輕說：「我曾拜讀彭小姐大作，十分欽佩。」

玉嬋笑，「我請你喝咖啡如何？」

他大喜，「隨便何日何時我都有空。」

「一小時後在顯澤樓下見。」

「我胸襟會插一朵康乃馨。」

玉嬋被他逗得笑出來，能笑就好，伴侶如果能叫你笑，請多珍惜，那是極之難能可貴的一件事。

呵人生路上到處都是名與利，唾手可得，歡笑難尋。

玉嬋到了約會地點，一眼就看到了他。

他們熱烈地握手。

「真沒想到有那麼漂亮的女作家。」

玉嬋又笑了，「我已退出採訪組，學寫小說。」

「那敢情好，可以對你坦誠地說話了。」

「有什麼消息？」

「李小姐結婚了。」

「呵，那多好。」

「猜一猜對象是誰。」

「鄧青雲。」

陳日良詫異，「天下怎麼會有你那樣聰明的人。」

「不過是一加一等於二。」玉嬋笑。

「她一直喜歡他，終於捨棄階級而取愛情。」

玉嬋沉默，眞是好決定，現在李日虹才眞正什麼都有了。

「小說進行如何？」

「細節還需商榷。」

這一對，也大有發展餘地。

迷信

李子康問楊燕玲：「他說他可以什麼？！」

燕玲也很猶疑，輕輕再說一遍：「與客人已去世的親友接觸。」

「迷信！」

「當初我們也都那樣想。」

「燕玲。」子康看着老友，忽然笑了，「你是一名接受現代科學教育的建築師，怎麼會相信這種無稽之事。」

燕玲過片刻問：「然則，你相信人死如燈滅？」

「不，我不清楚，我不肯定，這才是科學精神，可是有一件事我百分百確實，那就是，擁有該等異能人士早已勘破世情，怎麼會在江湖上騙取無知婦孺金錢。」

燕玲沉默半晌，「你太固執了。」

「我一向是個主觀的人。」

「所以你在工作上有成績。」燕玲怪羨慕。

子康說：「別把話題岔開，說一說騙術奇譚。」

「家母說，那不是騙術。」

子康歎口氣，「伯母是想與令兄接觸吧。」

「是。」

「也難怪。」

「家母至今徹夜難寐，就是不明白我哥哥爲何在二十二歲那年會車禍身亡。」

「意外嘛。」

「母親那可憐的心……」

彷彿情有可原。

「子康，陪我去探一探路。」

子康歎口氣。

她與燕玲情同姐妹，多年來互相扶持，已成習慣，這次她不知如何推辭。

「燕玲，我是基督徒。」她十分爲難。
「我知道，你當是參觀一種舞台表演好了。」
「夫子也說：敬鬼神而遠之。」
燕玲無奈。
子康又問：「這件事對你來說十分重要？」
燕玲點頭。
「好，我陪你走一趟。」
「謝謝你，子康，我會感激你。」
「一定有好友會強你所難。」子康抱怨。
「就此一次，下不爲例。」
子康絕不踏足進廟宇，就是害怕那種迷信氣氛。
她滿以爲那奇人一定在廟門口擺檔，而事實不。
又以爲奇人家住在破舊的鄉下老房子裏，也不。
那人住在山頂，車子一路上山，途中鳥語花香，子康厭惡之心，頓時去了一半。

不過，此人想必十分會得刮龍，否則，生活如何會這樣富裕？

她笑出來，是，她李子康一向最反對怪力亂神。

那的確也是一幢三層樓的老房子，可是維修得異常整潔，房子分三戶分租，奇人住在二樓。

按了鈴，有人開了鐵閘，吩咐他們上去。

梯間寬大光潔，子康又添一分好感。

她稍微有點潔癖，認爲一個人如果不能把自身與家居打理乾淨，那更不用做其他的事。

有一名穿白衫黑褲的老工人打開門，延她倆進內。

「請坐，稍待。」

沙發蒙着白布罩，非常舒服，大露台對着碧海，觀之心曠神怡。

子康訝異到極點。

這個地方像建築文摘中的理想家居，同迷信不掛鈎，這是怎麼一回事。

燕玲低語：「他不大見客，家母託不少有力人士說項，他才應允。」

傭人奉上香茗。

白瓷杯碟，樸素美觀，一個驚喜接另一個驚喜。

子康不禁問：「收費若干？」

燕玲說了一個數目。

子康欠了欠身，幾乎沒嘩一聲，那等於她兩個月的收入，而她的年薪，絕對已過百萬。

「捐到他指定的慈善機構，他分文不收。」

「是嗎，」子康不服，「那他何以為生？」

「你不知道嗎？他的正職是會計師。」

子康仍然不服，「這麼說來，只得有錢人才可與亡靈接觸？」

燕玲噓一聲。

「窮人連見鬼的資格也無？」

燕玲瞪老友一眼。

子康站到露台去看風景。

露台上擺着兩隻大瓦缸，種着米蘭，那一叢叢小小白色的花香氣襲人。

子康深呼吸一下。

轉過頭去，發覺燕玲已經與一個人在談話。

那是個年輕男子。

平頂頭，白襯衫，藍布褲，穿一雙布鞋，整個人看上去十分舒服。

他態度和善，沒有半絲囂張。

這是誰？

就是那異人嗎？

子康不由得走回客廳。

那年輕人轉過頭來向她微笑。

子康坐到燕玲身邊。

燕玲正在說：「家母的意思是，她想知道我哥哥的消息。」

那年輕人答：「人生中生離死別實不可免，不如節哀順變，把痛苦丟下，待傷口癒合，念念不忘，實非良策。」

子康巴不得聽到這樣的話，雖然也許只是江湖術士以退爲進的手法，可是也值得深思。

她給燕玲一個眼色：還不走，等什麼？

燕玲說：「家母想知，他可安好。」

「他已安息。」

燕玲歎口氣，「家母想聽他親口告訴她。」

那年輕人抬起頭，「其實，她應當心息。」

子康終於忍不住，「燕，我們走吧。」

燕玲白她一眼。

年輕人笑了，「這位小姐，可是完全不信？」

「對，」子康說：「你幫得了就幫，幫不了拉倒，何故吞吞吐吐，推推搪搪？」

年輕人不以爲忤，他清矍的臉靜下來，隔一會兒說：「楊小姐，麻煩你與令堂，下星期六早上七時到我處來吧。」

「早上，不是晚上？」

「清晨大家精神都好一點。」

「好。」

「請帶備銀行本票，抬頭寫政府公益金。」

「是。」

年輕人轉回裏頭去了。

女佣捧出糕點，滿面笑容，「請用點心。」

燕玲哪有心思吃，可是子康正肚子餓，見是雪白的椰絲奶油蛋糕，即時食指大動。

不管三七二十一，吃了再說。

燕玲沒奈何，「你眞饞嘴。」

「這蛋糕可是幾萬元一塊，伯母請客，不吃白不吃。」

「你有偏見。」

子康不出聲。

那年輕人有極其乾淨的一雙手，一看便知道是斯文人。

她倆離開了那幢老房子。

「那人叫什麼名字？」

「我們都叫他甄先生。」

呵，不是賈先生就好。

伯母可以放心了。

自從兩年前長子死於車禍，她一直沒吃好沒睡好，想起就落淚。

她想得到一個答案。

再昂貴也值得。

眞是一片苦心。

這是子康害怕做母親的原因，呵同身段變形養育辛苦完全無關。

而是萬一那條小生命有什麼事，母體也不能獨自存活。

子康深深歎息。

「星期六，你也一起來吧。」

「我沒資格去。」

「這是什麼話。」

「早上七時，我起不來。」

「你胡說什麼？」

子康氣餒，「我知道遲早有老友會得寸進尺。」

「事後你才考慮同我絕交吧。」

伯母的反應十分強烈，先是流淚，然後是高興，她告訴子康，終於可以藉着高人，弄清楚長子還有何種心願。

子康看見伯母又哭又笑，開始覺得迷信也不是太壞，至少是一種精神寄託。

那甄先生也好，假先生也好，大概是在做善事。

可能還是雙重善事，捐款可以送到眞正有需要的人手中。

燕玲說：「甄先生不是神棍，捐款收據會發還給我們，我們還可以免稅。」

楊伯母有樓宇收租，十分富裕，捐款不成問題。

「你們把他說得那麼好。」

「去過的人都稱讚。」

子康笑了，「好，陪你們母女走一趟。」

因爲感情上隔了一層，她不致衝動，所以更可以睜大雙眼看清楚這個局。是眞是假，憑一個普通人的常識即可知分曉。

事主因爲盼望太切，心智已經混亂，所以很難清醒理智地看這件事。

星期五晚上伯母根本沒有睡。

她五六點鐘便催女兒起牀梳洗。

燕玲生性十分孝順，換上一襲白衣，陪母親挑一件灰色旗袍，素服出行。

子康也一早準備好，六時正抵達楊家。

三人吃過一點粥，便出發去尋找答案。

車子裏十分靜寂。

子康看着車外風景，清晨空氣好不清新，子康想到一個母親那顆悠悠的心，不禁潸然淚下。

到了目的地，停好車，大門已開。

老佣人見她們三個均穿素服，表情十分歡喜。

三人坐下，才喝過一口茶，甄先生便出來說：「請進書房。」

大家跟着他進去。

書房寬大舒適，一張大書桌，三張沙發椅子。

「請坐。」

大家坐下。

子康注意到年輕人今日穿米白色襯衫褲子。

他也到桌後坐下。

他很守時，沒叫人客等。

燕玲立刻把銀行本票奉上。

他查看過後收入抽屜。

然後，他靜了一會兒，忽然抬起頭來，輕輕說：「楊鵬展，你母親想與你說話。」

子康怔住。

他知道楊家長子叫什麼名字，不過，這也不難查到。

伯母傷感加緊張，已壓抑不住，開始飲泣。

那年輕人的聲音忽然變調，比他平常聲音較爲活潑，「媽媽，媽媽。」

伯母站起來，痛哭失聲，「鵬展，鵬展。」

子康十分冷靜。

年輕男子的聲音均差不多，一個傷心的母親不能分辨也不願分辨。

燕玲的聲音也是激動的：「哥，你好嗎？」

年輕人答：「不要掛念我，回去好好生活。」

「我們思念你甚苦。」

「媽媽，人生不滿百，常懷千載憂，勿以我爲念。」

至今，子康仍然認爲這些不過是場面話。

楊伯母含淚問：「鵬展，你在什麼地方？」

這個問題不好答，不過，大抵也難不倒甄先生。

果然，模棱兩可，費人疑猜的答案來了：「我在冥冥中。」

子康沒好氣，這算什麼地方？

伯母又問：「你需要些什麼嗎？」

「我已與日月同壽，還需要什麼？」

子康忍不住，她輕輕說：「鵬展，說說你的近況。」

年輕人忽然轉過頭來，看着李子康，雙目晶光綻現，他微笑，「調皮的小健康，別來無恙乎？」

大家都愣住。

楊鵬展一直叫子康這個綽號，這件事恐怕只有他們幾個熟人知道。

呵，有點功力，不容小覷。

子康說：「我想念你，鵬展。」

「世人俗緣未了，合情合理。」

那口氣像煞了鵬展，子康也不禁淚盈於睫。

「回去吧，這次談話是最後一次。」

伯母仍然追問：「鵬展，你有痛苦嗎？」

他笑了，「我的存在如一陣風，風起風息，有何牽掛？」

子康低下頭，形容得眞好。

這時，燕玲鼓起勇氣：「哥，給我們一點憑據。」

子康滿以爲年輕人會得拒絕，可是沒有，他說：「回到我從前的房間去，穿衣鏡旁第三格抽屜，你會找到憑據。」

可是，每一家人都有穿衣鏡，鏡子旁一定有抽屜。

燕玲說：「我已收拾過你的房間，我沒看到抽屜裏有什麼。」

「你再回去找找。」

子康問：「你還有什麼話同母親說？」

年輕人忽然吟道：「我想母親一陣風，母親想我在夢中。」

楊伯母泣不成聲。

聲音漸漸沉寂。

子康第一個從激動情緒走出來。

年輕人撐着頭，看上去有點累，額角冒出亮晶晶的汗珠來。

他低聲說：「談話結束了。」

伯母身體放軟，哀哀痛哭。

燕玲將母親扶到客廳坐下。

女傭遞上冰毛巾一塊，又十分識趣地退下。

燕玲替母親敷臉。

這時，露台外忽然吹來一陣風，和煦無比，子康裙裾輕輕拂動，頭髮揚起，只覺舒服，像有人在輕輕與她招呼一般。

她脫口而出：「鵬展，是你嗎？」

風漸漸平息了。

伯母喝過紅棗茶，便告別回家。

那位甄先生，也始終沒有再出來。

回到楊宅，燕玲立刻到哥哥生前的房間去翻鏡子旁第三格抽屜。

正如她說，抽屜裏空無一物。

可是這次子康比誰都堅持。

她把整格都拉出來，一反轉，燕玲啊地叫出來。

只見抽屜底用透明膠紙貼着一枚鎖匙，匙孔上結着一塊牌子：東亞銀行第三四六八

九號保險箱。

子康嘩一聲怔住。

那位甄先生，簡直是生神仙。

不經他指引，他們一輩子也找不到那枚鎖匙。

打開了保險箱，不知可以尋找到多少答案。

燕玲立刻說：「我去告訴母親！」

子康連忙道：「不，別去刺激她，她情緒剛平復下來。」

燕玲答：「是，我怎麼沒想到。」

伯母已經可以沉沉入睡，看到燕窩，想多吃一碗，眞是大躍進。

他們取過鎖匙，立刻跑到律師處。

律師是一個姓吳的小姐，得知前因後果，馬上說：「我替你們辦手續去開啓保險箱，不過恐怕需要一點時間。」

「約多久？」

「半年左右。」

子康與燕玲面面相覷。

那麼久。

燕玲說：「我要好好照顧母親，這件事，給我極大啓示，世上，只有母親會那樣愛我。」

「你的確有個好母親。」

更令子康困惑的是那位甄先生的異能。

燕玲卻笑說：「你見過人做純數沒有？」

「見過，純數，又稱抽象算術，許多時英文字母代替數目字，可是，會的人可以輕而易舉解碼，找到答案。」

「我猜，甄先生在冥界找人，也用同一樣方式，會者不難，他有這種天賦。」

子康說：「也只能這樣形容？」

「我母親進展很好，她已能與老友去搓搓衛生痲將，擾攘近三年，總算接受人死不能復生這個事實。」

子康深深歎口氣。

半年很快過去，銀行保險箱被開啓，小小的箱子拉出來之際，子康屛息。

裏邊擺着一套古董手錶，爲數十來隻，燕玲知道哥哥有這些收藏品，他去世後一時不見可是不以爲意，像子康一樣，她並不重視身外物。

然後，是一張照片，珍重地收在小小銀鏡框裏，那是他與一容貌秀麗的女孩子合照，背境是舊金山金門大橋。

「這是誰？」

「不知道。」

「可有聽他說過？」

「沒有，恐怕是大學裏的同學。」

「也許已經分了手。」

「去查查看。」

「隨它湮沒好了，這眞是已是往事，不堪回首。」

燕玲叫子康在錶中挑選一隻自用。

子康挑一隻小小鑲鑽晚裝錶，並且立刻上了發條，戴在手腕上。

「小健康，哥哥一向喜歡你。」

子康不由得又落淚來。

「我們剛剛好了，你又哭。」

這將是她們心上永恒的一個傷疤。

楊鵬展的遺物只有那麼多。

楊伯母說：「那位甄先生真是靈得不得了，不過，他打算賣掉房子移居英國。」

子康心一動，賣房子？

她非常喜歡那幢老屋。

翌日，她駕車到甄宅去。

果然，看到房屋出售的牌子。

她一逕上樓按鈴。

那位老佣人來開門，甄先生自室內迎出來，有點訝異，「我算到新屋主姓李，沒料到是你。」

子康笑笑說：「祖父剩了些錢，我想用之置業，非常喜歡這裏，望君子成人之

美。」

「沒問題，詳細情形同我房屋經紀說好了，屋子太舊，並不十分受市場歡迎。」

子康很高興，「還希望連傢具雜物一併讓給我。」

「舊傢具，我願意奉送。」

女佣又捧出紅棗茶。

窗外那幅海景，是子康要買下這幢房子的原因。

稍後子康告辭。

那甄先生忽然說：「李小姐，你是聰明人。」

子康微笑，「不見得，心直口快，一味夠魯莽而已。」

甄先生也笑，隔一會兒他說：「找到楊鵬展的女友左凝姿沒有？」

「誰？」

「左女士育有一子，現居舊金山，你們沒去找她？這對楊老太來講，應是好消息。」

子康怔住，「你怎麼會知道？」

甄先生笑笑，「此事舊金山大學同學知之甚多，並非一個秘密，他們二人因小事鬧翻，一直未能和解。」

「我馬上通知燕玲，着人去找她！」

甄先生頷首。

子康終於沉不住氣，「甄先生，你眞是半仙，抑或推理技巧過人，爲人特別聰明？」

甄先生笑笑，反問：「你說呢？」

子康答：「兩者都有吧。」

「對於某些事我的確是相當有靈感。」

「請舉個例。」

「李小姐，你未來夫婿，雙姓端木。」

「我不認識雙姓人士。」

他笑笑，不欲多語。

子康知道他已破例說多了幾句，不好意思再探問。

在陽光底下看，他只是一個相貌端莊，衣着整齊的年輕人，並無異相。

燕玲得知消息，立刻隻身飛往舊金山尋人。

而子康，也順利買得她喜歡的房子。

半個月後，燕玲在長途電話中激動地告訴子康：「我找到了左凝姿。」

「左女士是否帶着一個小男孩？」

「天啊，子康，那四歲大的孩子長得同大哥一模一樣。」

「母子環境好嗎？」

「非常好，左女士十分能幹，是一名電腦程序專家，可在家工作，一邊照顧孩子，她且有能力僱有家務助理，生活完全不成問題。」

眞叫人放心。

「她本人與楊家已無瓜葛，可是願意携子回來一見家母。」

「那太好了。」

燕玲在那邊飲泣，「那孩子……眞可愛……」

姑姑看侄子，當然可愛到極點。

電話掛斷了。

秘書進來說：「李小姐，陳經理說，大家合作請新來的工程部主管午餐，你也湊一份子吧。」

「好好好，反正要吃飯。」

「每人一千。」

「這個價錢嚇壞人，吃龍肉？」

秘書只是笑。

「罷罷罷。」

子康付現鈔，還嘀咕：「怎麼剩錢呢，噯，將來憑什麼養老呢？」

秘書不去理她。

「對了，」子康忽然想起來，「那新同事姓什麼？」

「他姓端木，雙名向榮。」

子康怔住。

端木。

她不認識姓端木的人？
現在她認識了。

想像

年輕人想像力都比較豐富，丁奕珊自然不例外。

很小很小，才四歲的時候，偶然蹿跤，跌破一點點膝蓋，大人問起：「你是怎麼受的傷」，她便想想答：「蛇康」，蛇康是長篇卡通「森林册」中一隻兇猛的老虎，她指傷口被老虎抓出。

大人於是聳然動容，哦，蛇康！

這樣一個孩子，長大了，幹文藝工作，一點不稀奇。

奕珊家裏環境頗過得去，自幼學小提琴，雖然目的不是叫她登台演奏，可是大大小小的琴一列排出來，陣容十分偉大。

自最小八份一尺寸到成人用提琴都有。

奕珊笑道：「幸虧都留着，看看都有趣」，那時的小手，才那麼一點點大。

她也畫畫，私人書房裏堆滿畫册，甚至沙發上的座墊與咖啡杯上都印着畢加索的畫。

幼稚園時塗鴉中比較優秀作品全用鏡框鑲起。

若問奕珊一生至大成就，恐怕就是「父母愛我」。

但是最終進大學，她讀的卻是建築系，同她父親一樣，她希望將來與老爸一起開一間建築事務所。

這時，奕珊愛上寫作。

她豐富的想像力派上了用場。

母親知道後立刻請熟人替女兒印了成叠稿紙，左下角小小篆書印章是「奕珊稿紙」字樣。

印章還是請蔡瀾刻的，據說費了不少唇舌。

奕珊開始寫小小說。

開頭，每一個寫作人的故事都是自傳式的，沒有什麼技巧可言，像日記，粗略地安排一些人物與對白，情節平淡，無甚看頭，勝在有一股清新之意。

奕珊的作品，有一個總題目，叫做「想像」。
她想像丁奕珊會在什麼樣情況下遇到她的終身伴侶。
因爲是切身事，所以寫得熱情洋溢。
第一篇是這樣的。
（一）
那是極早的早上，都會繁忙的一天已經開始，車子已在公路上排長龍。
燈號一轉，司機們都速速踩油門，爭取時間，希望儘快趕到目的地。
一輛褓姆車上坐着十來個小學生，從車窗看去，全是一顆顆小腦袋，隨着車身節奏搖擺，有趣極了。
但是，忽然之間，哎呀，不好，嘭地一聲，車胎爆炸，褓姆車左搖右擺，失控揺動，公路上其餘司機大驚失色。
說時遲那時快，電光石火之間，褓姆車轟隆一聲，撞到路邊石欄處，車頭毀壞不堪，司機倒在座位上呻吟，他額角即刻流出血來。
孩子們驚叫，有些只有六七歲，更是痛哭失聲。

車身開始漏油，呵，恐怕會着火爆炸呢。

大部份車子立刻停下。

丁奕珊的小小跑車正在褓姆車後面第三架。

她即時用汽車電話報警。

跟着，她下車走近去看個究竟。

總得設法營救孩子們。

她看到一個英俊高大的年輕人已經奔近出事的褓姆車，他一邊脫下西裝外套，一邊捲起袖子，去開車門。

車門扭曲，無法開啓，他把孩子們自車窗一個個拉出來。

途人幫他接過孩子。

奕珊呆住了。

英雄！

這世上居然還有奮不顧身的英雄。

車窗碎玻璃割破他的手臂，鮮紅的血染污他雪白的襯衫。

一共九個孩子，「全在這裏了」，有人大聲叫。

年輕人大聲問：「誰有撬門的鐵器？」

他還想營救司機。

奕珊想起她車尾箱有一支大鑿，連忙奔過去交給年輕人，他居然還騰得出空說謝謝。

這時，褓姆車蓬一聲，竄出火苗來。

大眾叫：「快退後，危險！」

有人大力拉走奕珊。

可是那年輕人不顧一切，留在現場，他撬開了車頭門，途人歡呼。

司機跌出來，被他拖離。

就在該剎那，紅光一閃，一團黑煙昇起，悶雷似隆一聲，車子炸開來。

氣流與熱力一逼，眾人嘩一聲退後。

千鈞一髮，年輕人救了大大小小十條人命。

噫，偉哉！

這時，警車與救護車嗚嗚聲接近現場。

三天後。

奕珊正在家作畫，有客來訪。

她到客廳一看，發覺正是那個英偉的年輕人。

當然，他已換上了新西裝，可是頭髮已經剪短。

他笑着解釋：「頭髮被火力噴焦一大片，索性剪掉，希望不大難看。」

奕珊感動得淚盈於睫，「不不，當然不，報上都登了你的照片。」

他笑着聳聳肩，「任何人都會那麼做。」

「你怎麼知道我住在這裏？」

「要找一個人，總找得到。」

奕珊又問：「來找我有事？」

「我來還一件東西。」

奕珊一看，原來是那隻鐵鏨。

她笑了。

第一篇故事在少女的甜笑中結束。

奕珊喜歡勇敢的異性。

當然不單是魯莽、大膽，而是沉着果斷，並且，勇氣用在幫助他人身上，而不是胡亂發作。

在救人的場面認識他，那是何等浪漫。

奕珊被自己的想像感動不已。

在現實生活中，她不是沒有異性朋友，可是，她覺得他們幼稚。

別說靠他們救人，必要時連救自己都恐怕有問題。

家庭環境好，可以培養出有氣質的女孩子，可是男孩子太受照顧，似永不長大，一直借用媽媽的車子，爸爸的信用卡，從不圖經濟獨立，成家立室，故此一個個都面白無鬚，弱質纖纖。

有一個更同奕珊說：「在家好吃好住，幹嗎要搬出去。」

奕珊覺得無話可說。

她理想中對象決非如此。

出身當然不能太差，但千萬別是在路邊擺一隻蘋果木箱一邊賣報紙一邊做功課那樣長大，一個人吃太多苦才成功一定苦澀，不，不要那樣。

可是必需性格獨立，有自主能力。

別看如此要求彷彿很卑微，實際上很難找得到像樣的對象。

左看右看，都不見眞命天子。

奕珊不擔心，可是有時會略覺寂寞。

多餘時間，用來寫作。

寫累了，站起來，彈一首曲，畫幾筆畫，又是一天。

相由心生，奕珊的確長得比旁人清麗。

想像的第二篇是這樣的。

（二）

豪華遊輪的甲板上。

船隻正航行在加拿大卑詩省通往阿拉斯加的內海峽，碧海，藍天，以及雪白的冰川形成壯麗的景色。

丁奕珊深深呼吸一下充滿鹽香的空氣。

她站在甲板上已經好一段時候了。

忽然之間，她發覺有人站到她身邊。

那是一個高大英俊的年輕人。

（奕珊希望她可以找到更好的形容詞，可是經驗淺，一時間除出高大英俊四字，竟想不出還有什麼其他的字句。）

他目光並沒有對正她，他雙眼看到遠處的冰川，並且輕輕說：「鯨魚出來了。」

果然，巨鯨黑色的背部自碧綠的海水中冒出來，呼一聲噴出白色水柱。

奕珊高興得低聲叫道：「壯觀！」

天色已近黃昏，魚肚白的天空有一抹奇異的紫色，淡淡的新月昇起。

極小的時候，母親對她說：「看，有人咬掉一塊月亮。」

奕珊對此說印象深刻。

天邊一顆顆星慢慢出現。

天下竟有此良辰美景。

奕珊輕輕問：「你叫什麼名字？」

他說：「名字不重要，只是，我們是注定要相遇相識的吧。」

他的聲音有點迷惘，她也是。好似彼此都沒有戀愛過，大家都有點驚惶，可是又樂意承擔。

「你是怎麼上這隻船來的？」他問。

「父母叫我陪他們遊覽觀光。」

「喜歡嗎？」

「十分開心，你呢，同朋友一起？」

「我陪祖父母。」

呵，比她更孝順。

「你住美國還是加拿大？」

「舊金山。」

「溫哥華。」

她略感安慰，「還好，相當近，不過三小時飛機。」

他笑了。

月亮漸漸昇起，她覺得他身邊彷彿有一個小小磁場，把她吸引着。

是這樣，她找到了他。

空氣裏都含着愛情。

寫畢這一章，奕珊深深歎口氣。

不，他們不會那麼快便擁抱，他是她是屬靈的伴侶。

奕珊也想過，每個女性或許也應當有一個屬慾的伴侶，毫不諱言，她也時時爲男性強健身段吸引。

有一次，在某個網球場，她去接父親，但他正與其他叔伯輩聊天，孝順女在一邊等他，這個時候，她看到一個年約三十歲的男人走近。

她坐在太陽傘後面，他一時沒看到她。

他把球拍扔在地上，脫下汗水濕透的T恤，蹲下透口氣。

他有一個漂亮毛茸茸的胸膛。

奕珊忍不住細細打量他，目光不是不帶點貪婪的。

這時，他約莫也覺得有什麼灼灼地在注視他，轉過頭來看到太陽傘後一張雪白秀麗的小面孔。

他笑了一笑，有點難爲情，取過大毛巾，遮住上身。

他們沒有招呼，沒有說話。

他有及肩的長頭髮，有段時候，男子很喜留長髮，而奕珊恰恰覺得男人非要有濃厚的毛髮不可。

誰在乎他在大學唸何科目，或是歸根究底有無進過大學，或是年入多少，住在哪一區。

該刹那奕珊十分渴望過去搭訕：嗨，一起喝杯凍飲可好？

她沒有付之行動，倒底是東方人，背上有與生俱來的包袱，不是說做就做得到。

片刻，父親在那頭叫她，她過去了。

覺得背後也有人看她，轉過頭去，他已經離去。

現在比那個時候已經大了兩歲，但是奕珊不敢肯定，她有無膽子上前搭訕。

女同學們看到喜歡的異性，那眞是絕對不會放過，一逕笑着向前自我介紹，一隻手

已經搭上人家手臂，嗨，我是蘇珊、馬利、金白莉……

奕珊仍然不行。

這是東方女性的致命傷，也是可愛之處。

洋女才不會矜持，她們笑着同奕珊說：「損失太大。」

奕珊當然明白她們說的是什麼。

她低下頭，沉吟至今。

父母並無特別管她，是她過不了自己那一關。

有誰稍微不禮貌，她就給他們吃檸檬，冷冷目光如一道冰箭。

拒絕次數多了，連奕珊自己都覺得徬徨。

表姐自紐約來看她。

「你有親密男友沒有？」

「沒有。」

「倫敦的男孩子比較有文化。」

「我不會特地走得那麼遠。」

「你的要求是否過苛？」

「我在找一個比較有男子氣概的年輕人。」

「爲你出生入死？」

「不，雙臂可以輕輕抱起我已經足夠。」

「嘩，你身高五呎七吋，不是省油的燈。」

奕珊大笑。

表姐感喟，「是，我也怕那種唇紅齒白，面如敷粉的中性型男人。」

「也許該往意大利。」

「也可能明天你就會在超級市場遇見他。」

「超市？多麼欠缺浪漫！」

「嘿，生活天長地久，人人遲早得往超市選購牙膏厠紙。」

「太沒意思了。」

「你以爲你是小說中男女主角，永不接觸現實，毋需吃飯睡覺，也不看醫生，一患就是絕症？」

「我正在學寫小說。」

「你有資格從事文藝工作，你有粧奩，不愁生活。」

「是，我是幸運女。」

「因此不知天高地厚。」

「外頭風大雨大，無謂探險。」

「壞是壞在今日不少男孩子也那樣說。」

奕珊看着自己那雙從來不曾承擔過家務的雙手。

將來有了自己的家可怎麼辦？

世上除出琴棋書畫還有許多其他煩瑣事。

難怪都拖着不肯結婚。

懷孕生子過程痛苦，教養一個孩子又非同小可，總不能把所有責任都交給褓姆吧。

故此人人都在逃避。

「至好他又有事業又有相貌學問，還有，跳得一腳好舞，煮得一手好菜，生活情趣無限，而且，是一個浪漫的情人，兼夾喜愛孩子。

奕珊嗤一聲笑出來。

「世上可有這樣的人？」

「我不知道，我沒見過。」

兩姐妹笑作一團。

（三）

奕珊繼續運用她的想像力寫故事。

在超級市場中，她看到一個外型英偉的年輕男子對牢一列嬰兒用品大感躊躇。

（外型英偉？是，奕珊認爲人的外型太重要，她本人就不會去看那些相貌猥瑣的異性。）

終於，他結結巴巴問奕珊：「三月大嬰兒該服何種果汁？」

奕珊也不甚了了。

二人找來了售貨員。

售貨員看着他倆會心微笑，「頭胎？」

誰知二人齊齊搖頭說：「不不不。」

奕珊大奇，「那麼，嬰兒是你的什麼人？」

「我大哥的孩子，大嫂因病進了醫院，大哥需照顧妻子，由我暫時看住嬰兒。」

奕珊聳然動容：「你做得到？」

「正在嘗試中。」

呵，愛孩子的男人，願意留守家中照顧婦孺的男人，多麼難得，奕珊深深感動。

他接着自皮夾中取出孩子的照片。

奕珊一看，是兩個與楊柳青年畫中嬰兒造型一模一樣的胖小孩。

「什麼，是孿生子？」

「所以，眞是手忙腳亂。」

「現在你出來了，誰看住他們？」

「家母。」

「來，我幫你儘快採購日用品。」

因爲是兩個人分工合作，所以，三十分鐘便辦妥所有事，大包小包拎走。

他們走到停車場。

就此話別？當然不。

她鼓起勇氣說：「我希望待你大嫂出院，可以來看你們。」

「呵，好呀，這是我的電話號碼。」

她立刻記住，寫下來。

無論父母對子女多好多體貼，年輕人總希望得到自己的伴侶。

那是不同的一種愛。

奕珊寫到此處擱筆。

寫小說恐怕不容易呢，她的想像只有開頭，沒有終結。

要安排一整篇故事談何容易。

她走到園子去伸一伸懶腰。

對面有人放風箏，恐怕是華人，因爲放的是一條七節蜈蚣，誰，誰那麼好興致。

蜈蚣一扭一扭，在天空中飛舞，有趣極了，奕珊不覺走近。

有人自樹旁拿着線轆走出來，一看，是一粗眉大眼的青年。

他朝她笑，她也朝他笑。

太年輕了，看樣子才大學二年級模樣，住在父母家中，不知何時何日才可搬出來，不值得投資感情。

說不定家長還不贊成他這麼早結交女朋友。

奕珊退回自家花園。

她回屋躺在沙發上，雙臂枕在腦後，漸漸入夢。

眞奇怪，竟如此渴睡。

夢中，不知是否可以看到那個他長得怎生模樣。

她聽到母親自外邊回來，彷彿帶着朋友，朝沙發裏的她看一眼，然後說：「這孩子，睡着了，我們到書房去談話。」

奕珊覺得不好意思，掙扎着起來，自己先沖了一大杯冰茶，喝下去，又洗把臉，總算清醒過來。

她到厨房做了兩客下午茶。

捧到書房，敲敲門，「媽，你們喝杯茶。」

門一開，奕珊怔住，房內並非什麼伯母、阿姨，而是一位年輕人。

中等身段，不算十分高大，也並非英俊小生，可是一雙眼睛十分神氣。

母親立刻說：「奕珊，過來，我介紹你認識，這是鄭伯母的兒子祈康，還記得嗎，你們小時候曾經一起玩。」

奕珊眨眨眼，太尷尬了，她沒化粧，這還不止，頭也沒梳好，還有，只穿着T恤短褲。

那年輕人似不介意，「你好，奕珊，長遠不見。」

丁太太補充：「祈康過來讀博士學位，你有空帶他倒處走走。」

奕珊支吾以對。

剛才睡沙發上一定像隻死豬，不幸都叫人看個一清二楚。

不過那個下午，倒是過得出乎意料之外愉快，他們天南地北地聊了個痛快。

最後奕珊說到獨生兒是何等寂寞。

三年後。

丁奕珊覺得好笑。

世事往往如此，設想得再週全也不管用，因爲事情永遠不會照人的安排或是意願發

生。

自十六歲開始，便不住想像會在什麼樣的情況下遇見配偶，古靈精怪，一切不可能的環境都想到了，就沒想過會在自己家的書房。

是，就是鄭祈康。

他們打算在秋季結婚。

兩個人都已找到工作，他做人十分有計劃，已在市中心購買一小小公寓，小兩口住剛剛好，將來收入高了，再將小屋換大屋。

丁太太十分欣賞這未來女婿，雖然不是一流人物，可是對女兒體貼得不得了，即使奕珊使小性子，他也總是笑嘻嘻。

他解釋：「將來奕珊懷孕生子，不知多辛苦，現在多遷就她也是應該的。」

就憑這句話，丁太太已給女婿九十分。

原來在自己的書房，原來是鄭祈康。

奕珊在父親的建築事務所工作，業餘，仍然寫作，有一間出版社願意發表她的作品，使她寫得更加勤力了一點。

她的想像力現在用在發展情節上。

那對年輕男女終於籌備婚禮。

可是，就在這個當兒，有一個不速之客出現了。

他一身健康膚色，有一雙會笑的眼睛，前來對她說：「你忘記我了。」

奕珊愕然，「你是誰？」

「記得嗎，我是你十五歲那年的游泳教練。」

「呵，是，我想起來了。」

「奕珊，我以為你愛的是我。」

「不，我已選定祈康做終身伴侶。」

「可是，我與你明明有約在先。」

她看着他的眼睛，有點迷惘，她始終沒有學好游泳，換氣時有點困難，那是她的錯嗎？

「奕珊，要是你願意，我可以等你。」

「不，我在秋節就要結婚。」

「那之後，我也照樣等你。」

「不不不，不要為我浪費你寶貴的一生。」

「奕珊，你聽我說，你甘心這樣平淡的過其一生嗎，我可以帶你到天之涯，海之角。」

「我的心願已定，別再來引誘我。」

這時，奕珊的思潮忽然被打斷。

鄭祈康推開書房門問：「不是要去試婚紗嗎？」

奕珊放下筆，「呵是。」

「你在寫日記？」

「不，小說。」

「用中文還是英文寫？」

「中文，發表後給你看。」

「奕珊，對牛彈琴，我看不大懂中文。」

奕珊微笑，那多好。

「你不會怪我吧。」

「不會不會，即使是笨牛，也由我親自挑選。」

她緊緊握住他的手。

想像管想像。

生活是生活。

女神

許亞光在下班之後習慣到附近的酒館去喝一杯啤酒。

那間酒館叫熊與牛，地方乾淨，也沒有另類顧客，所以深受一般白領歡迎。

出來的時候不過七時多，亞光往停車場取車。

車子停二樓，他開了車門，剛想進車，就聽見有女聲高叫「搶東西！」

許亞光倒底年輕，見義勇為，立刻巡聲追出去，只見一女子被推跌地上，那不法之徒手拎女裝手袋，正往樓下竄去。

亞光自幼練詠春，身手敏捷，他飛身而上，手一長，已經搭住那人的肩膀。

那人一驚，立刻把手袋擲還，倉猝中亞光看到他是一個面目瘦削猥瑣的年輕人。

這種在大都會陰溝中生活的青年是很多的，他如老鼠般靈活，脫手逸去。

手袋已經打開。

亞光回轉頭去，發覺女郎仍蹲在地上。

她蹭破了膝頭，正在流血，但即使面孔扭曲，仍不失秀麗。

他去扶起她，取過無線電話用。

「不不不，別報警。」

亞光看着她。

「我認識那個人。」

「那更要繩之於法，他說不定會回來。」

「他是我弟弟。」

亞光愕住。

女郎頹然，接過手袋，發覺皮夾已經爲人盗去。

「謝謝你。」

「應該的。」

她掙扎着站起來。

「可要我陪你去看醫生？」

「這位好心的先生，不必了，」她深深歎口氣，「幸虧手袋中文件未失，他取去的只是現鈔。」

亞光退後一步，他猜想女郎身分複雜，故此也不打算請教尊姓大名。

他揚揚手就走了。

過幾天，也就忘記這件事。

他的小中大學同學，最好的朋友，關祥文回來度假，他得盡地主之誼。

祥文畢業後整家移民往舊金山，安居樂業，兩個年輕人都覺得不能在一起打球吹牛是生活上至大損失。

亞光去接飛機。

看到祥文，一個箭步上前，緊緊摟住。

祥文的家人在身後看到，只是笑。

「他倆似親兄弟。」

可是亞光與兩個哥哥的感情不如同祥文親。

人夾人緣，無話可說。

當下他倆肩膀搭肩膀走出飛機場。

亞光把車匙給他，「車子給你用。」

「謝謝，你別擔心，有人接載我。」

「誰？」亞光一怔。

「朋友。」

聲音那麼鬼祟神秘，一聽就知道是指異性朋友。

亞光大奇，「你人在舊金山，朋友怎麼會在此地？」

「她回來不久。」

「呵，」亞光點頭，「原來如此。」

「適當時候，我會介紹給你認識。」

「什麼叫適當時候？」

祥文哈哈大笑，「待你老了醜了，不再是一項威脅的時候。」

亞光是既好氣又好笑。

他知道祥文脾氣，只要不去理他，不到三天，他準會回轉頭來求他去見那個女孩

子。

他們痛痛快快地聊了一個晚上，約好周末去打球。

祥文說：「來，讓我告訴你，她是怎麼樣的一個女孩子。」

「咄，你的異性朋友多如天上之星，要聽她們的歷史怕要花十日十夜。」

「這個不同，我們打算結婚。」

「啊，恭喜恭喜。」

「你語氣十分揶揄，何故？」關祥文悻悻然。

「因爲你決定結婚的次數不下十次八次。」

「喂！」

「你天生熱情難自棄，我身爲老友，十分瞭解。」

「她與衆不同，你聽我說——」

「每次你都遇見與衆不同的異性，眞幸運。」

關祥文並不生氣。「你呢？你可有蜜友？」

「我不是易相處的人。」

「不如就我家小妹吧，你們自小談得攏。」

「不行，」亞光說：「你的妹妹，等於是我的妹妹。」

「是，」祥文承認，「太熟稔了。」

亞光說：「適當的時候，我請你倆吃飯。」

關祥文似自言自語地說：「使我着迷的，是她的眼神，永遠若有所思，且盈盈蘊有淚意。」

亞光十分訝異，老友幾時變得如此詩情畫意？講話如吟詩一般，也許，他是眞正戀愛了。

第二天，下班，他照例到熊與牛喝一杯，回停車場取車。

有人在他車子附近等他。

亞光見是一位妙齡女子，有點奇怪，「這位小姐，有什麼事？」

女子笑，「你忘記我了。」

亞光摸摸耳朵，是有點面熟，這該是誰呢。

「上個星期，我在此被人搶去手袋。」

呵，是她。

今日衣着光鮮，化粧亮麗，態度從容，不認得她了。

亞光向她欠欠身。

「我在此等你，是想向你道謝。」

「不用，舉手之勞。」

她笑笑，「未請教尊姓大名。」

亞光只得給她一張名片。

她珍重地收好，「我叫裘安。」

亞光大方地問：「可想吃晚飯？」

她笑了，「我以爲你永遠不會問。」

亞光見過許多標緻的女孩子，她是比較特別的一個，她笑起來，不知怎地有一股淒然之意。

亞光不大懂得吃中菜，他陪她到一家意大利菜館坐下。

她歉意地解釋：「舍弟不肖——」

「不是你的錯。」

她沉默半晌，「這頓飯，應當由我來請。」

「你說怎樣便怎樣好了。」

她給他看膝蓋上的疤，「絲襪都遮不住，他後來回家，抱住我痛哭。」

「只得這個弟弟？」

「是，父母早逝，由我把他帶大。」

亞光不語。

都會中這種故事也是極多的，不知怎地，由她說來，特別動人。

這時，鄰桌有人朝他倆看來，目光好奇。

亞光故問：「有什麼是我應該知道而尚未知道的嗎？」

裘安嫣然一笑，「我是一名演員。」

「你是指女明星？」亞光訝異。

她自嘲：「小明星，故此你不認得我。」

「那麼，他們為何又認識你？」

「他們喜歡看電影。」

亞光不禁笑起來。

裘安是個美女，大眼睛高鼻子白皮膚濃髮，身段均勻高佻，打扮清淡雅致，對着她已是一種享受，女演員又特別懂得一顰一笑，叫身邊的人舒服熨貼。

一頓飯下來，亞光的戒心已經除下。

他送她返家。

在門口，又看到那不良青年。

他分明染有毒癖。

只見裘安與他輕輕談幾句，又付錢給他。

那青年看了亞光一眼，轉身離去。

亞光緩緩走近，雙手揷在口袋裏。

「我知道不該縱容他。」

亞光不發一言。

他相信她已經做到最好。

她又歎息一聲，轉身上樓，但是沒有說再見。

亞光在她樓下又站一會兒，才轉身離去。

會約會她嗎？亞光不能肯定。

那天晚上，亞光做了一個夢。

夢見他與她並排坐在一輛旅遊車裏。

其他乘客都是外國人，可是不知是什麼國家，哪條街道。

車子一直駛動，忽然之間，亞光緊緊擁抱她，深深吻她的唇。

他並沒有注意其他旅客有否注意他們，顧不得了，他只知道他倆吻了許久許久。

醒來之際，臉上唇上尚有脂香滑膩的感覺。

他十分吃驚。

一個綺夢。

眞是難得，那好夢像眞的一般，他記得每一個細節，如何把她的頭髮輕輕向後撥，她的臉剛好藏到她的頸彎裏。

亞光從來沒做過那樣眞切的夢。

他已決定約會她。

一個人一生總得有一次要聽從他的心，理智上他不是不知道她會給他許多麻煩。她的身份特殊，她的背境複雜，她不適合大好有爲青年，她會成爲負累，可是，亞光暫時不去想這些。

他逼切地問她：「我可以見你嗎？」

「今夜我有約，明天好嗎。」

他心甘情願地等待，到了時候，他到她家樓下。

手提電話響了，她問：「你要上來嗎？」

他上樓去按鈴。

她穿着T恤長褲來開門。

家裏正在收拾東西，一堆堆衣服雜物，處處是瓦通紙箱。

「搬家？」

裘安答：「可以這麼說。」

「搬到何處去？」

「舊金山。」

亞光吃一驚。

裘安有點高興，「你一定會替我慶幸，我將息影，正式移民。」

亞光怔怔地。

這完全出乎他意料之外，看樣子事情沒開始，就會結束。

裘安感喟，「拍了十四套戲，全部是配角，半紅不黑，演技收入均欠佳，能夠一走了之，眞是好事。」

此刻，她正坐在沙發另一角，就像夢中一樣，兩人並排，亞光可以聞到她髮端的香水味，眞奇怪，味道清甜，一如香草冰淇淋。

他有膽子擁吻她嗎？

不，沒有。

在現實生活中，成年人一切行爲，有後果須要負責。

他不敢輕舉妄動。

亞光的鼻子漸漸發酸。

他聽得她說：「——他願意娶我。」
「誰？」
「我的未婚夫。」她低下頭。
亞光忽然問：「你愛他嗎？」
裘安忽然笑起來，「好像每個人都怕我不愛他。」
這是看得出聽得出來的。
「我得找一個歸宿，錯過這次，以後恐怕就沒有機會了。」
亞光不出聲。
「此刻趁還有一點姿色……」語氣漸見淒酸。
她的事也真只有她一個人知道。
亞光低下頭。
裘安迅速恢復了笑容，「下個月就要動身了。」
亞光不由得說：「祝你幸福。」
「別替我擔心，他是個好人，我不會辜負他，我會好好跟他過日子。」

這時，忽然有一中年婦女帶着一個小小孩子自房內走出來。

那小女孩只得三四歲，輕輕喚媽媽，眉目清秀，長得與裘安一模一樣。

亞光又一次驚訝。

「我的女兒。」

裘安將幼兒輕輕摟在懷中。

剎那間亞光完全明白了。

裘安輕輕說：「孩子不會立刻跟我走，未婚夫……他不大知道我的事，她將暫時寄養在親戚家中，我略有私蓄，她不致吃苦，這是我從頭開始的一個機會。」斷斷續續，說出了心聲。

亞光握住她的手。

「你是個好人，你不會明白，我走錯了第一步，以後要改回來，再回頭已是百年身，需要費很大的勁。」

亞光靜靜聽她傾訴。

裘安像是忽然清醒過來，「咦，我忘了斟茶。」

可是亞光知道告辭的時間已到。

在門口，他忍不住，輕輕擁抱裘安。

她低聲說：「亞光，眞慶幸認識你。」

「有什麼事，儘管找我。」

「好好好，謝謝你。」淚盈於睫。

亞光離開裘安家，一時間不知何去何從。

他身上穿着最好的一套西裝，本來預備與她吃晚飯。

可是一見面她已將最壞的一面拿出來，好叫他心息。

他心息了嗎？

亞光發覺有人跟着他。

一轉頭，見是裘安那不成才的弟弟。

他向亞光陪笑。

亞光問：「什麼事？」

「你是裘安的朋友——」

他伸出手來，作乞討狀。

亞光十分吃驚。

他躊躇一下，掏出一張大鈔，放他手中。

那少年把鈔票緊緊抓着，可是仍然貪婪地問：「再給一點，先生。」

亞光說：「就這麼多。」

他說：「謝謝。」

接着立刻竄到對面馬路，消失在人羣中。

亞光站在行人道上發獃。

裘安做得對，是應該開離這個地方了，去尋覓新生活，她應該再獲得一次機會。

半晌，亞光回到家中。

他和衣躺在沙發上，忽然覺得十分疲倦，終於睡着。

這次沒有夢，他被電話鈴吵醒。

是關祥文找他，「出來吃飯。」

「我心情欠佳。」

「什麼事？工作上你一向一帆風順。」
「是私事。」
「我不信有女孩子會叫你吃檸檬。」
「改天吧，改天我請你。」
「我都快走了，還改什麼天。」
「今日實在不想見客。」
「我介紹我女友給你認識。」
「今日我更加不想見外人。」
「怪人！」祥文掛斷了電話。
亞光有點頭痛，支撐着起來，服了成藥，站在露台上看風景。
不需要很久，他便知道祥文沒有放過他，他看到一輛小小紅色跑車駛到露台下停住，有人下車來朝他招手，那人正是關祥文。
亞光沒好氣。
也許，到了他們那種熟稔的地步，真的可以不必理會對方的意願。

亞光連忙換上一件乾淨襯衫，洗一把臉，沖一壺茶，打開大門，迎接關祥文。

祥文嘩啦嘩啦叫着亞光的名字衝上來，一手拉着個女孩子。

亞光自樓梯縫看到那女郎的倩影，已知道不對。

她抬着頭看上來，眼神有點徬徨無措，一點不錯正是裘安。

亞光發獃。

祥文很快衝上來。

亞光不知何處來的演技，將二人迎進屋內，熱情招呼，他並沒有注視裘安，假裝完全沒見過她。

室內只有祥文一個人的聲音。

「我們一到舊金山就結婚，亞光，你會不會來參加婚禮？」

「亞光，裘安在此地統共沒有親人。」

「亞光，她是否你見過最漂亮的女子？」

裘安什麼都沒有告訴他。

她是個聰明女，她不說，一定有她的理由。

喝過茶，吃完點心，祥文十分滿意，他告辭：「我與裘安還要趕另外一個場子。」

亞光送他們下樓去。

裘安到臨走，都沒有單獨與他交換過眼色。

倒是祥文，把他拉到一角，「怎麼樣？」

「很好。」

「後天我先走，她收拾完行李，跟着來。」

亞光點點頭。

「她是一個單純的女孩子，娛樂圈很不適合她，嫁我之後，她不會再回來。」

亞光再度用力頷首。

那也好，不再回來。

不過，那個小小女孩，就見不到母親了，但亞光相信，裘安會作出妥善的安排。

祥文最後說：「她是我的女神。」

他們雙雙上車離去。

亞光累得倒在牀上，他腦袋一片空白，不知該想些什麼才好。

第二天一早，電話來了。

亞光剛欲出門上班，急於趕時間，沒去接聽。

那天下班，在停車場，看到裘安。

亞光靦腆地笑。

裘安也不語，隔很久，她才說：「眞巧。」

亞光說：「祥文是我最好的朋友。」

「那麼，他確是一個可靠的人？」

「他老實，梗直，爲人熱情疏爽，且剛承繼了一筆遺產，是個理想對象，你的眼光很好。」

裘安站得相當遠，她點點頭。

「之後，」亞光說：「就靠你自己了。」

「我會好好過日子。」

亞光點點頭，「很高興認識你。」

「我知道你是個君子人。」

「你放心，我什麼都不知道。」

裘安看着他，大眼睛內有款款情意，隱隱淚光。

亞光上了車。

她對祥文，志在必得，所以沒把身世告訴他，將來，一定會有解決的辦法。

車子越駛越遠，亞光忽然想再同她說幾句話，連忙把車駛回頭，但她已經離去。

一個單身年輕女子，在這個複雜的都會裏討生活，眞不是容易的事。

過一日，待祥文回了舊金山，他去看她。

她正幫孩子沐浴，雖然不算一位稱職的母親，看得出眞心愛這名幼兒。

他輕輕說：「其實，可以把孩子帶着一起過去。」

「慢一步，待我取到身份，才替她設法。」

亞光低下頭。

「亞光，你比祥文成熟，你可以接受的事實，他不一定可以。」

亞光說：「但是他條件比我好，我沒有足夠能力照顧你。」

裘安流下淚來，「我沒有欺騙祥文。」

「我明白。」

「後天我起程去與他會合。」

「容我送你去飛機場。」

她送他到門口。

他走到樓下，那個年輕人又跟在他身後。

他迎上去，同年輕人說：「戒掉它。」

年輕人只是笑笑。

他歎口氣，又給他一張鈔票。

他把錢收好。

他忽然說：「你們都喜歡裘安。」

亞光點點頭。

是因爲她有種身不由己的楚楚可憐。

她弟弟卻說：「她是個天生的演員。」

說完了，轉身離去。

亞光怔住，可是，他不想知道究竟。

她起程那日，他把她送到飛機場。

祥文在電話千叮萬囑，吩咐他照顧她。

「她什麼都不懂……」語氣中充滿憐惜。

亞光莞爾，他眞心愛她，既然如此，沒有什麼不可包涵。

在進候機室之際，裘安緊緊擁抱亞光。

他輕輕說：「你需要幫忙的話，請與我聯絡。」

希望永遠不需要。

她走了。

在那麼多人當中，她的未婚夫偏偏是他最好的朋友。

亞光躑躅返家。

他知道她的身世，而祥文不。

她的演技，只用在最親密的人身上。

不久，亞光收到他倆的請帖，又不久，收到他倆的結婚及生活照片。

她在厨房，很滿足開心的模樣。

亞光很替他們高興。

至於他自己，他常常做一個夢，夢見與一個美麗溫柔的女子擁吻。她的面目漸漸模糊，但是身段柔輭豐滿，不需要心理醫生，亞光也知道這表示他極端渴望愛人，以及被愛。

也許祥文是正確的，他從不看清楚，就一頭栽下去，世上本無十全十美的人。

亞光的車子仍然停在那個老地方，每天去取車子之際，習慣四處張望一下，看看有無美麗的弱女，需要幫助。

酒保

高小芬是一名調酒師。

她加入這個行業是完全無意的。

在英國唸酒店食物管理的她當然會得調酒，可是不精，去酒店應徵工作，只得酒吧有一個空位，她不想空閒在家，馬上接受。

小芬運氣好，她遇見一位即將退休的調酒師傅，覺得她討人歡喜，於是將全身工夫傳授給她。

師傅本身不喝酒。

小芬則不喝混合酒，師徒倆性格有異曲同工之妙。

三個月後，小芬已得師傅眞傳。

那時，行政部有一職位，可是，她又不想去了。

她決定在酒吧躭一年，看看眾生相。

況且，調酒師的薪水比初級經理高得多。

酒店規定他們穿制服，在男裝與女裝之間，小芬挑男式制服穿：白襯衫，黑西裝與長褲，長髮梳成一條辮子，非常精神爽利。

經理看她那種打扮，本來不贊成，可是又挑不出錯在何處，漸漸女侍也申請穿男裝，方便工作，開過會，終於通過自由選擇。

全世界所有的酒保都是酒客的好朋友。

多喝兩杯，有什麼話說不出來。

從「小芬我妻子／老闆／弟兄不瞭解我」到江湖上各式恩怨，以及戀愛過程都和盤托上。

反正何處講何處散翌日酒醒煙消雲散。

酒吧是一個奇怪的地方。

白天，平平無奇，幾張圓枱，幾張椅子，地毯上污漬斑斑，天天清洗也不管用。

可是入夜，一開燈，它就像一個姿色平常的女子經過悉心粧扮，變成艷女。

玻璃杯亮晶晶，笑聲樂聲熱鬧，柔和燈光下，人人面色祥和。

雖然不見天日，小芬也不介意在此上班。

母親這樣同她說：「當心人家誤會你是個舞女。」

小芬答：「我很少理會人家怎麼想。」

況且，舞小姐收入那麼高，不能比。

今日，是她上班一週年紀念。

特別感觸，因爲上頭決定調她到宴會部，她穿制服的歲月，恐怕要結束了。

今夜，她把頭髮束到腦後，搽上紫紅的胭脂。

有一個年輕的男客叫了一杯啤酒不住回首看酒吧入口。

一眼就知道他在等人。

等的，當然是女友。

半小時，一小時過去了，人跡緲然。

酒吧客人漸多，小芬接了一通電話。

「請叫一位李柱明聽電話。」

小芬問：「他外型如何？」

那位女客說：「廿多歲，有點傻氣。」

「呵，他在此等了你好久了。」

「我叫敏娜，告訴他，我不來了。」

「就這麼一句話？」

「是。」對方已經掛線。

小芬只得走到那個年輕人身邊去說：「敏娜有事，不來了。」

那年輕人一愕，立即垂下頭來。

小芬看在眼內，不覺好笑，若干年後，他結婚生子，想到今日的小小不如意，一定覺得好笑之至。

可是該刹那，感覺之難受，也不要去說它了。

半晌，他對小芬說：「今夜，我本想向她求婚。」

小芬勸解：「算了。」

他掏出戒指盒子，給小芬看，「送給你。」

放下盒子轉身就走。

「喂，喂。」小芬叫都叫不住。

做酒保，居然還有此奇遇。

盒子裏是一隻小巧的鑽戒，現在出來混的女孩子，還哪裏看得上這種貨色。

小芬順手放在抽屜裏，預備改天歸還。

這時，有一名油頭粉面的青年過來問小芬：「有什麼酒，喝下去像果汁，可是很快會醉？」

咦，他想灌醉什麼人？

一定是無知少女。

小芬不動聲色，答曰：「夏威夷之夜。」

「好極了，給我一杯。」

本來酒裏要放伏特加，小芬故意滴酒不添，她心想：小姐，你會感激我。

一連三杯，那年輕人咕噥：「酒保，給我換一種，這酒不行。」

小芬說：「是誰酒量驚人？」暗暗好笑。

「我母親。」

「什麼？」

「家母到此處來監視我們幾兄弟，我們想叫她早些打道回府。」

「呵，對不起，請喝這隻大溪地之花。」

保證一喝就瞌睡。

王永兆是熟客人了。

「小芬，給我一瓶香檳。」

「今日又請誰。」

「請你。」

「什麼？」

「慶祝你在此工作一週年。」

「王先生眞好記性。」

那位王先生只是笑。

他年輕、高大、英俊，而且闊綽，可是一年來，帶上來的女朋友不是選美皇后就是

女演員。

小芬雖然對他有好感，也不敢有任何表示。

「上班時候我不便喝酒。」

「我等你下班好了。」

這種態度眞迷死人。

小芬笑問：「今日同誰來？」

「豬朋狗友。」

小芬嗤一聲笑出來。

「下了班無聊，又不想回家，便同他們來消遣。」

「不怕太太寂寞。」

「我已離婚。」

「啊。」

「三年前她棄我赴美讀書。」

有這種事！像王永兆這樣的人打着燈籠沒處找，怎麼會有女子棄之若敗履？

難以想像。

「我回家做什麼？」

「王先生沒有孩子嗎？」

「有的話準在家帶孩子，可恨現代女性都不肯生孩子。」

小芬只得陪笑。

「要不要過來坐一會兒？」

「我當更呢。」

「那好，不勉強了。」

他捧着一大盤酒去招待朋友。

王某人把這裏當家一樣，每月結帳均好幾萬元。

今日，他的女伴穿一件紅色露胸長裙，好看得吸引全場注目。

他快樂嗎？

可以肯定不算淒慘。

最好的酒，最漂亮的女人，最愛熱鬧的朋友！小芬笑了。

十二時正，小芬下班，收拾完畢，約莫一時左右，這時，銀行區經已靜寂，走到門口，聽到有人叫她。

她嚇一大跳。

一看，是王永兆。

「來，送你一程。」

小芬站着不動，只是微笑。

熟客也倒底是陌生人，小芬不會上陌生人的車。

王永兆詫異問：「你不放心我？」

小芬笑，「公司規矩。」

王永兆搖搖頭，「現在又沒人看見。」

小芬仍是笑。

「你怕我？」

「一點點啦。」

「我自問並非面目猙獰。」

小芬感喟，「太過英俊更加危險。」

因出自眞心，王某人覺察得到，便輕輕駛走車子。

小芬亦抱怨自己不夠膽色，但是她希望得到的，並非類此感情。

不，不是一夜一夜計算的關係。

希望可以延伸到白天。

由一天至一月，由一月至一年，以致十年八年。

小芬不介意同一個合理的人相處一生。

眞是落後的想法？

回到家淋浴後，看半小時小說，沉沉睡去。

夢是那樣清晰，她認識了一個人，他與她相戀，他們爲着不可逃避的因素分手，最後，在異地相逢，他已不記得她。

她身邊已經是少女的孩子問：「媽媽，他是誰？」

她若無其事地答：「一個朋友。」

何必告訴孩子，那是她的父親。

小芬驚醒，額上冷汗涔涔而下。

幸虧只是她一個人，幸虧沒有牽涉到孩子。

呵人生如夢，在黑暗中，她嚮往纏綿，可是害怕失戀。

第二天她九時正起牀，無論晚上什麼時候睡，她總努力在九時正起來。

她見過許多睡到日上三竿甚至是日落西山的人，人家下班他們尚未甦醒，與整個世界脫節還不在乎，懶洋洋，爛塌塌，尤其是女性，癡癡迷迷，到了早上說話還不清楚，不知服了什麼藥，不能履行一般人職責。

見得多了，有種恐懼。

小芬立定心思早起，一日睡七八小時已經足夠，眞的疲不堪言，可在假期補足。

一直以來，她的意旨力都令她做一個整齊負責任的人。

她出門到銀行區去辦一些事情，經過時裝店，看了一會櫥窗，然後到母親家去坐了片刻。

看看時間，忽然覺得累，一定是午餐那碟紅燒獅子頭吃多了。

她決定回家小睡。

母親說：「在我牀上眠一眠。」

可是這是小芬生活守則之一：不在他人牀上睡覺，即使是母親的牀。

隨便慣了，倒處睡，睡醒了，不管何處淋一個浴，那還得了，隨便得那種程度，以後日子怎麼過？

她說：「我回家去。」

說是怪脾氣也不爲過。

回到自己的窩，躺到牀上，四肢百骸有說不出的熨貼。

她睡到被電話鈴驚醒。

是她老闆，「小芬，你還在家？不舒服嗎？」

「我馬上來。」一看，已經晚上六時。

「你從不遲到，如有事，我可找人替你。」

「不，我沒事，我不過聽了一個重要長途電話，馬上來，十分鐘。」

什麼都有第一次，第一次失戀，第一次丟臉，第一次失約，第一次傷心……

眞沒想到會睡過頭。

下樓去叫車，有人喚她。

她一抬起頭，是王永兆。

小芬不習慣在陽光下看到人客，要凝視一會兒才能將映象歸位。

「王先生，你怎麼在這裏？」

「我來接你上班。」

「我已經遲到。」

「快上車來。」

是一個夢嗎，不管了，小芬上了他的車。

她審視雙手，又看街外風景，不，人是清醒的，不是夢。

她問：「你怎麼知道我在家？」

「酒吧說你沒上班，我丟下那些朋友前來看看。」

「是，我睡過了頭，遲了一小時。」

「總有這種時候。」

小芬笑笑，「白天看來，王先生彷彿年輕些。」

「是嗎，我還以爲在陽光底下，我的皺紋無所遁形。」

小芬又笑，「我在日光下看上去如何？」

「很好，皮膚很白。」

小芬很是喜歡，把臉朝着窗外。

「白天你倒是不怕上我的車。」

小芬承認：「白天那麼多人看見。」

「我卻喜歡晚上。」

小芬正欲張口說話，忽爾聽到一陣鈴聲。

這又是什麼？

她轉過頭去，發覺頭在枕頭上，怎麼會這樣？她跳起牀，原來，始終是一個夢。

一看鐘，時針指在五時正，真是，高小芬怎麼會遲到，高小芬是一個最守規則的人。

小芬歎口氣，起牀洗臉出門。

街上涼風習習，哪裏有什麼來接她的人。

小芬自己叫一部車返公司。

換上制服，開始工作。

王永兆到九點鐘才帶着一幫朋友出現。

全女班，統統是艷女，共五六人，不知從哪一間夜總會帶出來。

他也眞會玩，天天變花樣，據說這樣的人，萬一累了，決定安頓下來，會眞正修身養性，問題是，他不知什麼時候才烏倦知還。

他坐在小芬對面，用手撐着頭，「眞累。」好似在受罪。

小芬不由得笑了。

「小芬，你的笑臉値一百萬。」

「那麼多？」

「好不天眞可愛，你知否你有兩隻較尖的犬齒，笑起來像隻小動物。」

小芬笑，「這算讚美？」

「算。」

他給她一千元小費，「給我做幾杯烈酒，讓她們喝下後乖乖回家去。」

「我以爲你想她們陪着你摟摟抱抱。」

「全不是眞心的。」

「王先生，你的要求開始苛刻及不合理。」

「你說得對。」他有點不好意思。

即使對他眞心，他分得出嗎，他知道嗎？

恐怕已經不能夠分辨。

那邊有人吵鬧。

是一個女子喝醉了在哭泣罵人，並且滿地打滾。

最可怕的是醉酒的女人，一點廉恥也無，比這更恐怖的，是服食毒品的女人。

小芬同保鏢說：「請她離場。」

「她一個人來。」

「你扶她出去，替她叫一部車子。」

「她已爛醉。」

「管她呢，把她送出去拉倒。」

眞的，人若不自愛，一定可以爛死在陰溝裏，誰會關心一個管不住自身的人。

小芬又警惕了幾分，做人，眞須步步爲營。

那哭鬧的女子被請離了現場。

酒吧恢復正常，可是，忽然之間，嘩地一聲，有人被玻璃杯割破了手，血流不止。

小芬連忙拎起急救箱去看個究竟。

只見那客人割痕甚深，需要縫針。

「先生，你最好前往醫院急症室。」

那位客人亦跟着由友人陪伴離去。

小芬一眼關七，照顧得十分週全。

不久，王永兆帶着那班艷女離去。

有同事羨慕地道：「有錢，什麼都可以。」

某一個程度，這話是眞的，天大亂子，地大銀子，有什麼是錢擺不平的呢。

小芬低頭工作，過了大半個鐘頭，猛地抬頭，看見的一張面孔，又屬於王永兆。

「王先生，你怎麼又回來了，可是忘記什麼？」

「我把她們送回去，可是不想返家。」

「家有那麼可怕？」

「一開門進去，一片靜寂，我簡直不敢坐下來。」

「那，為何不與家人住？」

「怕父母嚕囌。」

每天視歸如死，倒也是痛苦事。

「小芬，來，休息半小時，聊幾句。」

小芬拗他不過，託同事代為照顧，出來陪他坐下喝杯橘子水。

她自嘲地說：「看，終於都要坐枱子。」

王永兆答：「是我的面子。」

小芬問：「對於男性來說，面子很重要吧。」

「錢、美女、面子。」

小芬代他注解：「酒色財氣。」

王永兆摸摸後腦，「說得很對。」

小芬看着他笑。

「小芬，同你在一起聊天眞好。」

「你不給其他人機會而已。」天天換女伴，人家不知首尾，如何攀談。

「小芬，我等你下班。」

小芬推辭，「今日有人接我。」

他一怔，「你有男友？」

「誰沒有男友，看你要求如何而已。」小芬微笑。

「他條件好嗎？」

「配我已是綽綽有餘。」

「小芬，你眞謙和。」

「時間到了，」小芬溫和地說：「快打烊了，那邊有位黑衣女郎，看着你起碼有三十分鐘以上，過去與她談談。」

兩個寂寞的人，走在一起，可解決許多問題。

不過，在酒吧這種歡場，一切都不能當眞。

小芬拒絕王永兆進一步接觸，就是這個原因，她有何能力改變一個天天換女伴的男人？

中人之姿，稍具聰明，那是不足夠的，她若不知自量，肯定會受到極大傷害。

內心雖然渴望，理智無論如何不允許。

一下看不住自己，就會淪入萬劫不復地步。

她回到櫃枱之後，主管同她說：「小芬，總經理明早十時想見你。」

「知道了，謝謝你。」

「是要調職了吧。」

「是。」小芬惆悵。

「調往何處？」

「做沉悶的行政工作，負責計劃十多年後生意盈虧之類。」

「那多好，分明是陞上去了。」

「你眞認爲好？」

「自然，女孩子不宜做酒保。」

「可是這一年來不少客人特地慕名前來喝我調的若艾酒。」

「唏，當然是做經理高尚得多。」

明日便知分曉。

小芬偷偷看一看王永兆。

他已坐到黑衣女郎身邊去。

那女子有蛇一般的腰身。

兩條手臂已經掛在王君身上，半醉，不顧一切，吃得起虧，決定非尋歡作樂不可。

這樣也好，無論做什麼，至要緊有決心，切莫半桶水，想吃鹹魚，莫怕口渴。

打烊了，燈光明滅三次，王永兆與黑衣女離去。

不是說要等她下班嗎，可見不過是講講而已，你跟他去，就是你，她跟他去，也就是她，無所謂。

小芬丟下制服，換上便衣，離開酒吧。

第二天她穿上整齊的套裝去見總經理。

兩人談了一會兒，他給她一份新的聘書，從此之後，她成爲白領麗人新成員。

那位中年人說：「小芬，白天上班比較適合年輕女子。」
她溫和有禮地答：「是。」
母親頭一個高興，她鬆出一口氣。
「吁，早些日子，都不知如何同親友交待才好。」
「爲什麼要同他們解釋。」
「誰像你，六親不認？」
「咄，我才不用向任何人交待我的所作所爲。」
「反正只有白天上班才是正經人。」
那麼夜更警察呢？不過母親也說得對，神秘的黑夜往往帶來令人意想不到的危險。
酒吧的同事問：「客人找你，該怎麼說？」
「我說轉行了。」
這是眞的，況且，誰會找她？她不過是酒吧的一個服務員，客人旨在酒，不在人。
上了樓，脫下制服，小芬適應得比她預料中好得多，只是嫌白天的交通太過擠逼。
她變成所有白天上班族其中一員。

每早八時半回到公司，攤開報紙，心中就奇怪，她從前的客人，特別是王永兆，不知醒來了沒有，大抵還睡在柔輭的席夢思上，身邊不知躺着哪個美女，至於美女在早上看去還是否同昨夜一般美，完全是另外一個問題。

是，她沒有忘記他。

可能他不知道，她仍在同一酒店做事，不過一早一夜，碰不上頭。

她問過同事：「有沒有人找我？」

同事搖搖頭。

半年這樣過去了。

小芬已屬於白天。

一日上班，聽見同事與人客在小會議室商談請客之事。

「對不起，王先生，今年已完全訂滿。」

小芬輕輕撥電話給同事。

「要什麼期？」

「要九月廿五日，是女方生日，同天訂婚。」

「那天李炳基先生本來訂了鴛鴦廳來慶祝鑽婚，可是昨日好似取消了。」

「爲什麼？」

「他們打算到遊艇上慶祝，只與我們訂食物。」

「好極了。」

客人終於滿意地離去。

她看到他，一怔，隨即滿面笑容地迎上去，他是王永兆，浪子終於找到了歸宿。

她有許多話同他說，敍敍舊，問問好，他們眞是老朋友了。

他與她打一個照臉，也十分客氣地陪笑。

可是，很明顯，他不認得她。

他已完全忘記她是誰，換過地方，變了時間，她又已除下制服，他哪裏還記得她。

小芬連忙低頭疾走，轉返辦公室。

半晌，抬起頭，同自己笑了。

預言

慈香在很小很小的時候，陪母親去算命，算命先生看了看她，問：「太太，替小妹妹算算八字好嗎？」

蔣太太十分詫異，「那樣小的孩子也算得出運程嗎？」

那先生笑，「當然可以，只要有時辰八字，即知命數。」

蔣太太說出年份月份，「小女乃黃昏戌時所生。」

算命先生細細看了看慈香小小面孔，慈香連忙躲到母親身後去。

在算盤上打了半晌，得到一個號碼：三四一。

慈香看到桌子上有許多小小書本，母親翻開其中一本，找到第三四一條，一看，不禁笑了出來，遞給慈香讀。

慈香約六七歲，已經頗認得幾個字，連忙趨過頭去看，那本小書寫着許多機密，第

三四一條下批着：必嫁李文光。

小慈香不明所以然，「媽媽，何解？」

媽媽笑，「將來你會明白。」

接着，那個鐵算盤又發表了許多其他預言，說慈香聰穎過人，人緣甚佳等等，充滿頌讚之詞，慈香都忘記了，她只記得五個字：必嫁李文光。

啊對，蔣太太緣何去算命？

因爲蔣先生有了外遇。

蔣太太雖然有點粧奩，不愁生活，卻是一個老式婦女，她根深柢固認爲生活一切以忍爲貴，可以忍耐的話，必須忍耐。

心事悶在心中，絕不張揚，也不同親友申訴，實在無奈，便找人占卦，看看前程究竟如何。

慈香跟着母親，幾乎走遍全城，稍有名氣的相士都找遍了。

「能回頭嗎？」

「會，他會回頭，最終你倆白頭偕老，其餘不是姻緣。」

蔣太太似得到些許安慰，「那麼，他幾時回頭呢？」

相士往往不十分肯定，沉吟半晌，才說：「還需忍耐，百忍成金，況且，他對你不壞。」

這是真的，蔣某一點劣跡也無，對妻女仍然十分縱容痛惜，有求必應，他只是星期一三五不再回家休息，聽說，住在女友家中。

蔣太太從來沒有問過丈夫：「你在何處？」

這種問題問出口之後，接着無路可走，必須離婚，故此，她不打算問。

這樣大的一件事裝作無事人一般，由此可知是多麼痛苦，蔣太太日漸消瘦。

不幸中的萬幸是，對，還算是萬幸呢，蔣先生的外遇十分守遊戲規則，她並無作出任何騷擾性行動。

換句話說，蔣太太從不覺察到這個女子存在。

這已經是好運氣了。

許多原配太太被外邊的女人氣得啼笑皆非。

像阮太太，天天早上會有一個電話把她叫醒：「老婦，你幾時肯退位讓賢？」

又薛太太一日去喝茶，遇丈夫的女友，那年輕女子竟故意走到她那一桌前，挑釁地打了幾個轉。

蔣太太聽了這些例子，嚇得背脊涼颼颼，輾轉不安，夜半，趁慈香睡了，哭到天亮。

這些，慈香都知道，點滴都成為慈香童年生活一部份。

時光飛逝，慈香漸漸長大。

她開始勸母親：「這些年來，江湖術士賺你不少，他們收費實在不便宜，動輒以萬金計。」

「都是神算半仙，預言十分準確。」

「是嗎，」少女慈香笑，「我也懂得推算。」

「記得鐵算盤怎麼說？」

「他說了什麼，我都忘了。」

「必嫁李文光。」

「討厭！」

「說得那麼肯定，必定有原因。」

「李文光是一個很普通的名字。」

「這人出現的話，別忘了告訴媽媽。」

「得了。」

「你不好奇？」

「媽，我根本不相信這些。」

蔣太太苦笑，「將來，你也會相信命運。」

十五歲的慈香忽然像大人一般勸母親：「媽，要是眞正痛苦，不如離開算了。」

蔣太太一怔，知道女兒已經懂事，不禁落下淚來，「慈香，只有你知道媽媽苦處。」

慈香說：「媽媽，要是早幾年有決定，你生活會好過些。」

蔣太太低頭，「我不會離婚。」

慈香說：「我會知難而退。」

蔣太太忽然惱怒，「你懂得什麼？」

「我會利用時間學一門手藝，到社會去見人見事——」
蔣太太打斷她：「別再說下去了。」
可是過了一天，她又求女兒：「慈香，有位業餘紫微斗數專家，據說很準。」
慈香溫柔地說：「好，媽，我陪你去。」
心裏惻然。
一日，去公司找父親，閒閒談起，「爸，你那女友，究竟長得如何？」
蔣先生嚇一跳，面色一變，但是立刻恢復原狀，平和地說：「什麼女友，我何來女友？」
慈香不由得佩服父親，但仍然笑嘻嘻，「星期一三五那女友。」
「呵，來，我介紹你認識。」
慈香緊張，是他公司裏同事？
誰知蔣先生指着電腦說：「我做外滙，故此不得不通宵服待這個女友。」
眞厲害，推得一乾二淨。
「這些年來，你有同母親解釋嗎？」

「有，可是她比較敏感多心，不太接受事實。」

「啊。」

「慈香，你勸勸她。」

「好好好。」

完全不得要領。

蔣太太仍然四處算命，當作嗜好。

一日，相士上下打量慈香，想多做一注生意，這位小姐，「你也算一算？」

慈香笑笑，「不，我不算。」

可是蔣太太，又忙不迭報上女兒時辰八字。

慈香沒好氣。

那相士說：「嗯，聰明伶俐……學業驕人……事業不同凡響……」

蔣太太才不關心這些，「婚姻如何？」

「十分好，夫妻恩愛。」

「我女婿會是個怎麼樣的人？」

那相士忽然說：「必嫁李文光」

什麼？蔣慈香跳起來。

蔣太太反而輕描淡寫，「是注定的吧？」

「當然，」相士笑嘻嘻，「這樣明顯的事，三元測字也算得出來。」

李文光？

有這麼一個人？

他長相如何？

進了大學，蔣慈香終於看到她的李文光。

那日，大家正在觀看一個網球賽，忽然之間，慈香聽見有人大聲叫：「李文光！」

蔣慈香一顆心幾乎自喉頭躍出，李文光！

她連忙轉過頭去。

那李文光叫她心震膽裂。

他長得並不難看，可是一眼就知道是那種自以爲風流倜儻魅力無法擋的萬人迷，故處處賣弄風騷，試想想，一個男人給旁人那樣的印象，還有得救嘛？

慈香最討厭這種男人。

故此立刻縮在人羣中，動都不敢動。

必嫁李文光！

多麼可怕的預言。

幸虧慈香不相信這一套。

那個可憎的李文光讀電腦系，她處處避開他，大學四年，有這個陰影存在，也堪稱不幸。

避得太厲害了，露出痕跡，連李文光都注意起來。

他找到她。

她不敢逼視他的油頭粉面。

「蔣慈香，你不喜歡我？」

「是，」她答得極快，「我不喜歡你。」

「爲什麼？」

慈香已經走開。

萬人迷十分惆悵，但是不怕，總有一兩條漏網之魚，放過她吧。

但是隨時又心癢難搔。

征服珠穆朗瑪峯才叫挑戰，也許，他可以努力一點再作嘗試。

說不定，這是蔣慈香欲擒還縱的一種手段。

當然，他錯了。

慈香只要見到他影子就避之則吉。

同學問：「你是眞討厭他吧。」

「是。」

「一點希望也無？」

「你看此人，多麼猥瑣不堪：虛榮、自私、多嘴、誇張，女同學只要與他喝一次咖啡，就被他講得變殘花敗柳，還不避之則吉？」

「可是，他很會討人歡喜。」

「我不稀罕。」

「你比誰都守着自己。」

「我對男歡女愛這回事絕不看好。」

同學詫異，「緣何這樣說？」

慈香吁出一口氣，「好景太短暫了。」

那同學低頭，「這我也知道。」

「你不怕，你性格溫婉可愛，不比我。」

「你也總會遇到眞命天子。」

李文光？

不不不不不，不是他。

畢業那天，慈香鬆口氣，性格控制命運，什麼必嫁李文光？她不是已避開此劫了嗎？

甫找到工作，母親就病倒了。

是她自己先發現的，洗澡時發覺左乳有一囊腫，經過醫生檢查，發覺是癌。

慈香如五雷轟頂，第一件事是安排母親入院，然後與父親展開談判。

蔣先生亦十分着急，可見他與原配也不是沒有感情。

「醫生說，及早切除壞細胞，跟着電療服藥，不是沒得救的，可是病人心情須維持平和，父親、我需要你合作。」

蔣先生沉默半晌，「是。」

慈香鬆口氣，然後責備父親，「她這病，是悶出來的。」

「慈香，你是個大學生，說話爲何一點科學根據也無。」

「情緒影響內分泌，內分泌鈎動細胞敗壞，如何無根據？」

蔣先生說：「我會盡量多撥時間出來陪她。」

「你早該這麼做。」

「慈香，」他微慍，「這些年來，我對家庭亦有功勞，你看你穿的吃的，哪一樣不是靠我支持。」

這是眞的。

畢業時父親才送慈香一部歐洲跑車。

經濟上，他何止沒有虧待她們母女。

慈香抽出大量時間在醫院服侍母親。

蔣太太輕輕說：「幸虧你也長得這麼大了。」

「媽，你說什麼，你還要抱外孫呢。」

「我名下產業，自然全部屬於你一人。」

「也許你要用到八十歲。」

「到八十歲還不是一樣古佛青燈。」

「媽，請振作起來。」慈香流下眼淚。

蔣太太忽然說：「這些年來，我也納罕，那個第三者，倒底是何模樣。」

慈香不語。

「她日子也不好過吧，十多年了，並無名份。」

慈香低下頭。

「一個自私的男人，兩個懦弱的女人。」她歎息。

慈香按住母親，「媽，明日做手術，你多休息。」

蔣太太深深太息，「病好之後，第一件要做的事，便是離婚。」

慈香喜悅，由此可知，母親尚有求生意慾。

「隨便你愛怎樣，我支持你改嫁。」

蔣太太居然笑，「啐！」

第二天，母親進手術室，慈香與父親在醫院會客室等候。

慈香急痛攻心，仍抱怨父親：「我看你怎麼過意得去。」

蔣先生沉默。

「那個她呢？」

蔣先生抬起頭來。

「她也不小了吧。」慈香說下去：「我七八歲時她廿多歲，現在也有四十了吧。」

蔣先生維持緘默，老實說，這個齊人有沒有享到福還是疑問。

看，歲月如流，造成如此大的創傷，當事人得失如何，只有他自己知道。

這時，一個面色和藹，身段矮胖的年青醫生走過來，「是病人家屬嗎？」

蔣家父女連忙站起來。

「我將負責替蔣太做物理治療，我是李文光醫生。」

慈香張大了嘴。

眞沒想到世上有那麼多李文光。

一個接一個，全是慈香她最不喜歡的類型。

母親接受電療時大量脫髮，可是精神奕奕。

「必嫁李文光。」她咭咭地笑。

慈香沒好氣。

「我是終於想通了，心情反而比從前好得多，我已正式委托律師辦離婚手續。」

「媽——」

「你別看他這一陣子天天回家，那不過是一種義務，」蔣太太歎口氣，「我不稀罕，這次到閻王殿去兜風回來，我已完全看開。」

這倒也好，慈香爲母親慶幸。

「慈香，你眞是媽媽的至寶。」

慈香與母親緊緊擁抱。

「那李文光大夫在努力追求你吧。」

「唏，眞可笑，他還爲我減肥呢。」

「我看他挺不錯。」

「那我叫他來追你，你比我成熟，也比我富有。」

蔣太太又說：「啐！」

在醫生宣佈她痊癒那一日，離婚也已生效。

四份一世紀的婚姻。

照蔣太太自己的話是：「怎麼會拖了那麼久。」

病後她變了不少，經常做溫和的運動，包括游泳與學打麻將，成績斐然，又愛上美食，對各式餐酒漸有研究……

她快樂嗎？不一定，可是至少已經脫離怨婦行列。

慈香爲母親開心。

至於李文光大夫，唉，慈香深深歎息。

到這個時候，其實她已對李文光三字不甚抗拒，可是，她與這位大夫性情不合。

最可怕的是，李大夫認爲女性在婚後反正要嫁夫隨夫，本身的性格喜惡如何無甚重要。

慈香不敢苟同。

不過逃避李大夫比較容易，一味不接電話即可。

不到半年，他另娶了別人，派請帖給慈香。

蔣太太嘀咕：「又嫌人胖，又怕人管，大好一段姻緣，白成全了別人。」

慈香只覺自己幸運，又避開劫數。

不久她找到一份很好的工作，值得她切切實實幹起來，經驗豐富了，見識廣了，慈香才知道，世上有的是齷齪的人，她所認識的兩位李文光先生，雖不合她的標準，比起眞正猥瑣無恥之徒，簡直小巫見大巫，可是，她也得與他們和平共處。

眞令她疲倦。

母親未曾工作過一天，她不會明白。

幸虧有王啓中。

是，他叫王啓中。

公司裏許多女同事，說起王啓中都會笑。

他高大英俊，可是打扮樸素整潔，絲毫不覺賣弄，寬肩膀，熱心腸，工作上才華盡

露，亦好運氣，能夠獲得上司青睞，性格明朗，樂於助人。

優點加一起，說都說不盡，而且他有幽默感，又懂得生活情趣。

是不是真有那麼好？

也許不，可是，女孩子在談戀愛的時候，主觀加主觀，他的一切，當然都是最好的。

王啓中在芸芸眾生之中，獨喜粗眉大眼、身段高佻的蔣慈香。

後來她也問過他：「你覺得我有什麼優點？」

當時，最美的女同事是郭明秀，劍橋文學士，家境上佳。

誰知王啓中答：「我喜歡你那女張飛性格，毫無機心，有人賣了你，你還幫他數錢，太容易應付。」

慈香啼笑皆非。

她也不是不工心計的。

去探訪獨居的父親，她處處留意蛛絲馬跡，可是不知怎地，老是找不到破綻。

慈香開始存疑，這些年來，會不會是她與母親多心，誤會了父親。

也許，他眞的沒有另外一個女人。

可是，這個秘密也終於有掀開的一日。

一日，臨下班，有人找蔣慈香。

是一位風姿優雅的女士，她有一張秀麗的鵝蛋臉，穿香奈兒套裝，看牢慈香微笑。

她誇獎道：「長得亭亭玉立。」

慈香怔住片刻，電光石火間，知道女士是什麼人。

她溫和地說：「你爸說你一直想見我。」

慈香點點頭。

「他時常把你的照片給我看，我對你，其實很熟，他很愛你，以你爲榮，你眞是他的掌珠。」

慈香漸漸淚盈於睫。

三個都是好人，不知如何，搞成這個局面。

「十多年過去了。」她感喟。

慈香輕輕問：「你們打算結婚嗎？」

「呵，不不不。」

慈香訝異，他們現在已無障礙，她母親已經退出。

只聽得她溫柔地說：「我明日將移民溫哥華。」

慈香一愣，衝口而出：「那麼，家父——」

「我們半年前已經分手。」

「爲什麼？」慈香居然覺得惋惜。

她並無解釋，過片刻，只是說：「緣份已盡。」

可是，她造成另外一個女子無比創傷。

接着她又低聲說：「對不起。」

當然，她也是犧牲者之一。

慈香還有什麼話好說。

那位女士轉身離去，慈香無限欷歔。

她並無向父母提及此事。

時間一貫不理會任何人的哀與樂，向前輾進。

慈香把王啓中帶回家見過母親，母親甚爲喜歡，與他談了一個晚上。

事後，同慈香說：「你不是必嫁李文光嗎？」

慈香笑，「看相算命，哪裏作得準。」

「可不是，」爲母的也十分惆悵，「都是糊人的。」

「也不過是混口飯吃，半仙也不能捱餓。」

慈香聽見母親長歎一聲。

「媽，我們婚後一定陪着你。」

「已經談到婚嫁了嗎？」

「約略提過。」

「此事宜速戰速決。」

慈香說：「我想多考慮一下。」

「遲則有變。」

「我怕錯。」

「咄，大不了是結婚生子耳，孩子帶回來我幫你帶。」

慈香駭笑，母親的思想可眞的搞通了。

她與王啓中的確在計劃結婚。

他偕她往大溪地度假。

她猜想會有大量時間泡在海灘，添置多幾套泳衣總不壞。

她幫他收拾行李。

王啓中把護照及飛機票取出，「由誰保管？」

「我來好了。」

王啓中用英國護照，慈香因說：「我不是不喜歡倫敦，可是生活程度也實在太高了一點。」

「所以娶你呀，你有粧奩，全靠你了。」

慈香絲毫不懼，「那你得聽我話。」

啓中笑，「全聽。」

「要像隻叭兒狗般馴服。」

「汪，汪，汪。」

二人大笑之下，護照掉到地上，慈香拾起，一看，怔住。

她尖聲問：「你有別名？」

王啓中一愣，「我不是同你說過，家母改嫁後我跟隨後父姓王？」

「是，可是你沒說你原本姓李。」

「重要嗎？」

慈香抓着護照問：「你原名中文字是什麼？」

「李文光，繼父很不喜歡此名，改叫啓中。」

必嫁李文光！

蔣慈香呆住。

啊，這班江湖術士的預言有時候還眞準。

「慈香，怎麼了？」

她停停神，「沒什麼。」

「喂，現在才嫌我身世？」

「啓中，別拿這種事來開玩笑。」

「好好好。」

因爲母親想知道前程，所以四處找人卜算未來。

她所得到的，全是胡言，而慈香卻意外獲得預言的印證。

必嫁李文光。

那麼多人叫李文光，害她虛驚好幾場。

慈香溫柔地看着王啓中，可是她不介意嫁這一個李文光。

亦舒系列 ⊙ 亦舒系列 ⊙ 亦舒系列

亦舒系列 ⊙ 亦舒系列 ⊙ 亦舒系列

①苣芽集	（散文）
②苣芽集二集	（散文）
③苣芽集三集	（散文）
④家明與玫瑰	（短篇）
⑤玫瑰的故事	（長篇）
⑥自白書	（散文）
⑦珍　珠	（中篇）
⑧曼陀羅	（長篇）
⑨薔薇泡沫	（長篇）
⑩留英學生日誌	（散文）
⑪獨身女人	（中篇）
⑫舒雲集	（散文）
⑬舒服集	（散文）
⑭我的前半生	（長篇）
⑮寶　貝	（短篇）
⑯星之碎片	（中篇）
⑰香雪海	（長篇）
⑱歇脚處	（散文）
⑲販駱駝誌	（散文）
⑳兩個女人	（長篇）
㉑藍鳥記	（短篇）
㉒黑白講	（散文）
㉓風信子	（中篇）
㉔喜　寶	（長篇）
㉕野孩子	（長篇）
㉖回南天	（短篇）
㉗五月與十二月	（短篇）
㉘今夜星光燦爛	（短篇）
㉙偶　遇	（短篇）
㉚自得之場	（散文）
㉛開到荼蘼	（長篇）
㉜舊歡如夢	（短篇）
㉝花事了	（短篇）
㉞散　髮	（短篇）
㉟暮	（短篇）
㊱過　客	（短篇）
㊲戲	（短篇）
㊳心之全蝕	（中篇）
㊴退一步想	（散文）
㊵璧　人	（短篇）
㊶她比煙花寂寞	（長篇）
㊷可人兒	（中篇）
㊸白衣女郎	（短篇）
㊹傳　奇	（短篇）
㊺胭　脂	（長篇）
㊻今夜不	（短篇）
㊼剎那芳華	（散文）
㊽琉璃世界	（短篇）
㊾杜鵑花日子	（短篇）
㊿小火燄	（中篇）
51不要放棄春天	（短篇）
52哀綠綺思	（短篇）
53蝴蝶吻	（短篇）
54無才可去補蒼天	（散文）
55曾經深愛過	（長篇）
56豈有豪情似舊時	（散文）
57阿細之戀	（短篇）
58雨　花	（中篇）
59朝花夕拾	（長篇）
60我　醜	（中篇）
61我之試寫室	（散文）
62藍這個顏色	（中篇）
63惱人天氣	（短篇）
64沒有月亮的晚上	（長篇）
65貓兒眼	（短篇）
66拍案驚奇	（中篇）
67請勿收回	（中篇）
68精　靈	（短篇）
69紅鞋兒	（短篇）
70圓　舞	（長篇）
71試　練	（短篇）
72戀　後	（短篇）
73且自逍遙沒誰管	（散文）
74金環蝕	（短篇）
75安琪兒寫照	（短篇）
76小玩意	（長篇）
77樂未央	（散文）
78玉梨魂	（中篇）
79伊　人	（短篇）
80綺　惑	（長篇）
81一個夏天	（短篇）
82說故事的人	（短篇）
83流金歲月	（長篇）
84一段雲	（短篇）
85花裙子	（短篇）
86異鄉人	（長篇）
87忽爾今夏	（長篇）
88歎息橋	（長篇）
89得魚忘荃	（散文）
90莫失莫忘	（中篇）
91意綿綿	（散文）
92人淡如菊	（長篇）
93西岸陽光充沛	（長篇）
94有過去的女人	（中篇）
95石榴圖	（長篇）
96說明書	（散文）